KYT
HIKING GUIDE

ΠΕΖΟΠΟΡΙΚΟΣ ΟΔΗΓΟΣ

ΕΝΤΕΚΑ ΔΙΑΔΡΟΜΕΣ ΣΤΗ ΦΥΣΗ, ΤΗΝ ΙΣΤΟΡΙΑ
ΚΑΙ ΤΑ ΣΗΜΑΝΤΙΚΟΤΕΡΑ ΑΞΙΟΘΕΑΤΑ ΤΟΥ ΝΗΣΙΟΥ

ELEVEN WALKS INTO HISTORY, NATURE
AND THE MOST INTERESTING SIGHTS OF KYTHNOS

Nigel Tutt | Katerina Filippa

Sponsored by Hotel Galatas
www.hotelgalatas.com

ΚΥΘΝΟΣ, Πεζοπορικός Οδηγός
Έντεκα διαδρομές στη φύση, την ιστορία
και τα σημαντικότερα αξιοθέατα του νησιού

Κείμενα: Nigel Tutt, Κατερίνα Φίλιππα
Μετάφραση: Κατερίνα Φίλιππα, Άρτεμις Καμαρινέα
Επιμέλεια: Στέφανος Ψημένος
Φωτογραφίες: Κατερίνα Φίλιππα, Στέφανος Ψημένος
Χάρτες: Terrain Εκδόσεις
Δημιουργικό / Σελιδοποίηση: Όλγα Κοντονή (olga.kodoni@gmail.com)

Εκτύπωση: NonStop Printing ΕΠΕ

© TERRAIN Εκδόσεις, 2015

KYTHNOS Hiking guide
Eleven walks into history, nature
and the most interesting sights of Kythnos

Texts: Nigel Tutt and Katerina Filippa
Translation: Katerina Filippa, Artemis Kamarinea
Editing: Stephanos Psimenos
Photographs: Katerina Filippa, Stephanos Psimenos
Maps: Terrain Εκδόσεις
Creative Design / Layout: Olga Kodoni (olga.kodoni@gmail.com)

Printing: NonStop Printing Ltd

© TERRAIN Editions, 2015

ISBN: 978-960-9456-97-5

ΚΑΡΝΕΑΔΟΥ 4, 106 75 ΑΘΗΝΑ
4 KARNEADOU str., GR 106 75 ATHENS
T: +30 210 6095 759, F: +30 210 6095 859
info@terrainmaps.gr
www.terrainmaps.gr

ΠΕΡΙΕΧΟΜΕΝΑ | CONTENTS

Χαιρετισμός Δημάρχου ... 06

Εισαγωγή – Έντεκα διαδρομές στη φύση, την ιστορία και τα αξιοθέατα της Κύθνου ... 08

Χρήσιμες πληροφορίες – Εξοπλισμός, περιβάλλον, δυσκολίες ... 10

Διαδρομή 1Α: Χώρα – Λουτρά ... 15

Διαδρομή 1Β: Λουτρά – Κάστρο της Ωριάς ... 23

Διαδρομή 2: Δρυοπίδα – Παναγιά στου Μαθιά – Λεύκες ... 31

Διαδρομή 3: Παναγιά στου Μαθιά – Καλό Λιβάδι – Κανάλα ... 41

Διαδρομή 4: Χώρα – Παναγιά του Νίκους – Άγιος Ιωάννης ... 49

Διαδρομή 5: Χώρα – Άγιος Στέφανος ... 63

Διαδρομή 6Α: Επισκοπή – Βρυόκαστρο (αρχαία πόλη) – Απόκρουση ... 73

Διαδρομή 6Β: Άγιος Τρύφωνας – Διασέλλα – Απόκρουση – Κολώνα ... 81

Διαδρομή 7: Δρυοπίδα – Κουρί – Ζογκάκι ... 89

Διαδρομή 8: Δρυοπίδα – Πετροβούνι – Επισκοπή ... 99

Διαδρομή 9: Άγιος Κωνσταντίνος – Φλαμπούρια – Μέριχας ... 107

Ευχαριστίες ... 116

Mayor's greeting ... 07

Introduction – Eleven walks into history, nature and the most interesting sights of Kythnos ... 09

Useful information – Shoes, clothing, nature, difficulty ... 11

Trail 1A: Hora – Loutra ... 15

Trail 1B: Loutra – Orias Castle ... 23

Trail 2: Dryopida – Panaghia stou Mathia – Lefkes ... 31

Trail 3: Panaghia stou Mathia – Kalo Livadi – Kanala ... 41

Trail 4: Hora – Panaghia tou Nikous – Aghios Ioannis ... 49

Trail 5: Hora – Aghios Stephanos ... 63

Trail 6A: Episkopi – Vryokastro (ancient city) – Apokrousi ... 73

Trail 6B: Aghios Tryfonas – Diassela – Apokrousi – Kolona ... 81

Trail 7: Dryopida – Kouri – Zogaki ... 89

Trail 8: Dryopida – Petrovouni – Episkopi ... 99

Trail 9: Aghios Konstantinos – Flambouria – Merichas ... 107

Acknowledgements ... 117

ΣΥΝΟΠΤΙΚΟΣ ΧΑΡΤΗΣ ΤΩΝ ΔΙΑΔΡΟΜΩΝ ΑΥΤΟΥ ΤΟΥ ΟΔΗΓΟ
CONCISE MAP OF THE TRAILS IN THIS GUIDE

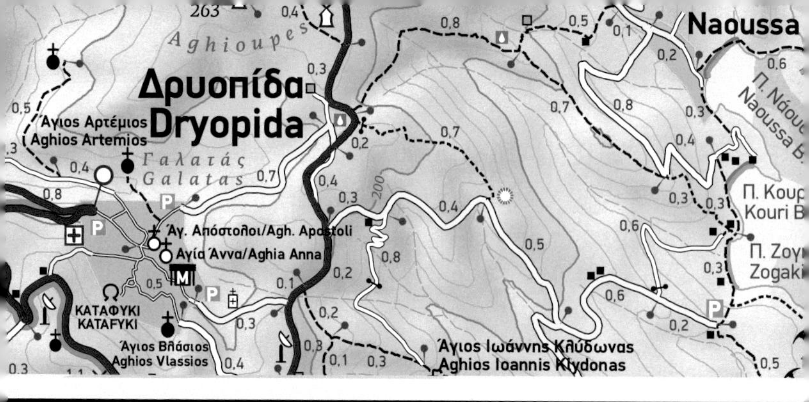

Ο νέος, ενημέρωμένος πεζοπορικός χάρτης της TERRAIN, ιδανικό συμπλήρωμα αυτού του πεζοπορικού οδηγού

- Όλα τα μονοπάτια, με χιλιομετρήσεις ακριβείας
- Πλήρες οδικό δίκτυο
- Όλοι οι οικισμοί
- Όλα τα αξιοθέατα (κάστρα, μοναστήρια, ξωκλήσια, αρχαιολογικοί χώροι, θερμά λουτρά κ.λπ.)
- Όλες οι παραλίες
- 100% αδιάβροχο υλικό Polyart, που δεν σκίζεται
- 100% επιτόπια χαρτογράφηση GIS (WGS 84)

The new updated edition of TERRAIN hiking map of Kythnos, ideal supplement to this hiking guide

- Walking trails with distance indication
- The complete road network of the island
- All inhabited areas
- All sights (castles, monasteries, churches, archaeological sites, thermal springs etc)
- All beaches
- Printed in 100% waterproof and rip-proof Polyart material
- 100% field research, GIS cartography (WGS 84)

www.terrainmaps.gr

ΧΑΙΡΕΤΙΣΜΟΣ ΔΗΜΑΡΧΟΥ

Είμαι στην ευχάριστη θέση, ως Δήμαρχος Κύθνου, να παρουσιάσω στους επισκέπτες μας αυτόν τον οδηγό για τις πεζοπορικές διαδρομές στο πανέμορφο νησί μας.

Πεζοπορώντας στα μονοπάτια της Κύθνου, θα έχετε την ευκαιρία να έρθετε σε επαφή με τις ρίζες, την ιστορία, τις παραδόσεις, τη φυσική ομορφιά και τον πολιτισμό της.

Η Κύθνος έχει καταφέρει να διατηρήσει ως τις μέρες μας την παραδοσιακή ομορφιά της και μια γαλήνια ατμόσφαιρα, τα οποία σας παρακαλούμε να σεβαστείτε.

Η επιλογή των διαδρομών σε αυτόν τον οδηγό έχει γίνει με γνώμονα αυτές τις πτυχές, και έχει ως στόχο να προσφέρει στους επισκέπτες ένα σημείο συνάντησης με τους ντόπιους.

Ο Δήμος Κύθνου έχει συμβάλει στην επιλογή των διαδρομών και έχει δεσμευτεί για τη συντήρηση του δικτύου. Επίσης, η Περιφέρεια Νοτίου Αιγαίου, σε συνεργασία με το Τμήμα Γεωγραφίας του Χαροκόπειου Πανεπιστημίου Αθηνών και ο Δήμος Κύθνου, με τεχνικό σύμβουλο την κα Φίλιππα Κατερίνα, Τοπογράφο Μηχ., έχουν συνεργαστεί στην καταγραφή και την αποτύπωση αυτών των διαδρομών.

Παρά την έλλειψη πόρων, ευελπιστούμε ότι σύντομα στο μέλλον θα μπορέσουμε να εντάξουμε νέες διαδρομές και να βελτιώσουμε τις υπάρχουσες, με επιχορηγήσεις από ευρωπαϊκά προγράμματα. Αν διατεθούν περισσότερα κεφάλαια, θα μας δοθεί η δυνατότητα να βελτιώσουμε τις διαδρομές ως προς τη σηματοδότηση, τον καθαρισμό και την προβολή τους στην ελληνική και τη διεθνή πεζοπορική κοινότητα.

Σας καλωσορίζω στο νησί μας, και εύχομαι να απολαύσετε τις διαδρομές.

Σταμάτης Γαρδέρης
Δήμαρχος Κύθνου

MAYOR'S GREETINGS

I am delighted to recommend this guidebook of the hiking trails of Kythnos island.

Hiking across this island is to experience its origins, history, natural beauty, and culture.

The island maintains its traditions and its tranquility and we seek your respect for this.

The trail selection reflects all these aspects and offers tourists a meeting point with the island people.

The Municipality of Kythnos has contributed to establishing the trails and is committed to maintaining the network. In particular, the South Aegean Prefecture, in cooperation with the Geography Department of Harokopio University and the Municipality of Kythnos, in cooperation with Filippa Katerina, Surveyor Eng., have made huge efforts to survey the hiking trails.

Although funding is insufficient, we hope that in the future we will be able to include new trails and improve the existing ones, with the available EU grants.

If more funds are provided, we can improve the trails by placing more signs, clearing the paths, and promoting them to tourists.

I welcome you to our island and wish you an enjoyable hike!

Stamatis Garderis
Mayor of Kythnos

ΕΙΣΑΓΩΓΗ

Έντεκα διαδρομές στη φύση, την ιστορία και τα αξιοθέατα της Κύθνου

Ο πεζοπορικός οδηγός Κύθνου είναι αποτέλεσμα της εργασίας δύο ανθρώπων που αγαπούν ιδιαίτερα το νησί, της Τοπογράφου Μηχανικού Κατερίνας Φίλιππα που κατάγεται από την Κύθνο, και του Άγγλου επιχειρηματία Nigel Tutt που ζει τον περισσότερο χρόνο στην Κύθνο και τώρα μετατρέπει ένα από τα παλιότερα και ομορφότερα αρχοντικά της Δρυοπίδας σε ξενώνα πολυτελείας (Hotel GALATAS). Ο Οδηγός αυτός παρουσιάζει 11 πεζοπορικές διαδρομές με λεπτομερείς περιγραφές, χάρτες και φωτογραφίες από τα πιο ενδιαφέροντα αξιοθέατα του νησιού.

Η πεζοπορία έχει γίνει μία δημοφιλής δραστηριότητα στην Ευρώπη και αλλού. Προσφέρει έναν σχετικά χαλαρό και ευχάριστο τρόπο εξερεύνησης της υπαίθρου, ακόμα και των ορεινών περιοχών, χωρίς να χρειάζεται μεγάλη προσπάθεια και ιδιαίτερες σωματικές απαιτήσεις.

Στην Ελλάδα πολλές περιοχές της ενδοχώρας είναι προσβάσιμες στους πεζοπόρους και πολλές διαδρομές έχουν σηματοδοτηθεί. Τα βουνά, τα δάση, τα ποτάμια, οι θάλασσες, όλες τις εποχές είναι υπέροχα. Σε πολλά νησιά των Κυκλάδων υπάρχουν σηματοδοτημένα μονοπάτια, και ορισμένα από αυτά προσφέρουν τη δυνατότητα εξερεύνησης της ενδιαφέρουσας γεωλογίας τους, όπως τα ηφαίστεια.

Η Κύθνος έχει ιδιαίτερο ενδιαφέρον για τον επαγγελματία γεωλόγο, λόγω των πλούσιων σε μέταλλο γαιών της, ειδικά σε χαλκό. Οι διαδρομές διασχίζουν λόφους ύψους 300 μέτρων ή ακόμα υψηλότερους, τοπία με ιδιαίτερο φυσικό κάλλος, καλλιεργημένες εκτάσεις, ιστορικά μέρη, αρχαιολογικούς χώρους, ενώ πολλές από αυτές καταλήγουν σε υπέροχες αμμουδερές παραλίες.

Οι διαδρομές ποικίλλουν σε βαθμό δυσκολίας λόγω του ανάγλυφου του εδάφους. Κάποιες ακολουθούν παλαιά αγροτικά μονοπάτια, διασχίζουν ρεματιές και καταλήγουν σε παραλίες. Άλλες καταλήγουν σε βυζαντινά κάστρα, αρχαιολογικούς χώρους ή σε εντυπωσιακά παρατηρητήρια. Μερικές απαιτούν καλή φυσική κατάσταση καθώς κάποια απ' τα αγροτικά μονοπάτια έχουν μεγάλη κλίση και πετρώδες έδαφος.

Ευχόμαστε να ευχαριστηθείτε την πεζοπορία σας στη Θερμιώτικη ύπαιθρο. Όταν ολοκληρώσετε την πεζοπορία σας, παρακαλούμε να μας γράψετε τα σχόλιά σας για τις διαδρομές, τη σήμανση και την κατάσταση των μονοπατιών, χρησιμοποιώντας την αποσπώμενη σελίδα στο τέλος αυτού του οδηγού. Σκοπός μας είναι να ενημερώνουμε συχνά τον οδηγό και βεβαίως να προσθέσουμε και νέες διαδρομές. Βασιζόμαστε στη δική σας βοήθεια για να βελτιώσουμε το δίκτυο.

Nigel Tutt - Κατερίνα Φίλιππα

INTRODUCTION

Eleven walks into history, nature and the most interesting sights of Kythnos

This guidebook for hiking trails on Kythnos is a result of work undertaken by two people who have developed a strong relation with Kythnos: Katerina Filippa, a Surv. Engineer born in Kythnos, and Nigel Tutt, a British journalist and businessman who spends a lot of his time on Kythnos, restoring two old mansion houses in Dryopida and turning them into a 10-room luxury hotel, Hotel Galatas. The book describes 11 routes with detailed maps, trail guides, and photos of the most interesting historical, cultural, industrial and scenic sites along the routes.

Hiking has become a popular activity in Europe and elsewhere. It offers a relatively gentle way to explore and enjoy the countryside, and even mountainous areas, without great difficulty and physical demands.

In Greece, many areas on the mainland and on islands are accessible to hikers, and routes have been signposted to help walkers. Views of mountains, forests, rivers, nature, the sea are splendid. Other islands in the Cycladic group have developed trails, some allowing for the exploration of the interesting geology that those islands exhibit, such as volcanoes.

Kythnos provides interest for a professional geologist because of its morphology and its rich wealth of minerals, especially copper. The island offers stimulating walks through hilly land up to 300 metres high or more, nature, farming, history, archeological remains, and as a route to some of Kythnos's numerous sandy beaches.

The individual routes offer a variety of terrain and difficulty: many follow old mule tracks across remote valleys to hidden beaches; some rise up to Byzantine castles and archeological sites on impressive headlands; and some are physically demanding and climb steep, rough stone steps.

Enjoy your hike and the Kythnos land and seascape. And when you complete your hiking, please give us your comments on the routes, the signposting and the trail conditions, using the tear-out page at the back of this guide. We hope to update the guide regularly, add further trails, and rely on your contributions to improve the network.

Nigel Tutt - Katerina Filippa

ΧΡΗΣΙΜΕΣ ΠΛΗΡΟΦΟΡΙΕΣ

Φυσική κατάσταση | Υπόδηση | Ένδυση | Φύση | Βαθμός δυσκολίας

- Καμμία απ' τις διαδρομές αυτού του οδηγού δεν απαιτεί ιδιαίτερες ικανότητες, όπως αναρρίχηση ή υψηλή σωματική αντοχή, αν και ορισμένες είναι αρκετά μεγάλες και το έδαφος δεν είναι πάντα βατό.
- Μην ξεκινήσετε την πεζοπορία, ιδιαίτερα τις πεζοπορίες πολλών χιλιομέτρων, αν δεν είστε σε καλή φυσική κατάσταση. Πάντα να λαμβάνετε υπ' όψιν το μήκος της διαδρομής που θέλετε να περπατήσετε. Επίσης σημειώστε πως πολλές διαδρομές απέχουν από τους κεντρικούς δρόμους.
- Το πιο σημαντικό μέρος του εξοπλισμού για να κάνετε με άνεση και ασφάλεια τις πεζοπορίες σας είναι να φοράτε μποτάκια πεζοπορίας, ή έστω αθλητικά παπούτσια. Στις περισσότερες διαδρομές δεν υπάρχουν πηγές με πόσιμο νερό, γι' αυτό είναι σημαντικό να έχετε αρκετό νερό μαζί σας (ένα μπουκάλι με ενάμιση λίτρο, τουλάχιστον). Επίσης πρέπει να έχετε στο σακίδιό σας ένα σνακ, αντηλιακό για τις ημέρες με ηλιοφάνεια, ένα ελαφρύ αντιανεμικό και αδιάβροχο μπουφάν για προστασία από τη βροχή και τον άνεμο αν το μετεωρολογικό προβλέπει βροχή ή/και ανέμους. Τέλος, καλό είναι να έχετε μαζί σας έναν μικρό φακό (για την περίπτωση που καθυστερήσετε και σας πιάσει το βράδυ στο βουνό), έναν σουγιά, και ένα μικρό φαρμακείο. Πριν ξεκινήσετε, φροντίστε να έχετε φορτίσει πλήρως το κινητό σας τηλέφωνο, και να έχετε ενημερώσει κάποιον για το σχέδιο της πεζοπορίας σας και την προβλεπόμενη ώρα επιστροφής σας.
- Κατά την άνοιξη ορισμένα ρέματα έχουν νερό και η άγρια βλάστηση μπορεί να καλύψει τα μονοπάτια. Μερικά φυτά προκαλούν εκδορές και τσιμπήματα, όπως οι τσουκνίδες, τα γαϊδουράγκαθα και τα φρύγανα που μπορεί να ξεπεράσουν και το ύψος των γονάτων.
- Την άνοιξη η βλάστηση είναι πυκνή, κυρίως κίτρινες και λευκές μαργαρίτες, κόκκινες παπαρούνες και διάφορα μωβ λουλούδια που αυξάνουν τη χαρά της περιήγησης. Το Μάιο τα κίτρινα σπάρτα ανθίζουν και ευωδιάζουν.
- Τον Μάιο επίσης μπορείτε να συλλέξετε κάππαρη σε αρκετές από τις διαδρομές. Η κάππαρη αποτελεί μία γευστική προσθήκη στις σαλάτες και σε άλλα πιάτα αφού πρώτα την ξεπικρίσετε στην άλμη ή την κάνετε τουρσί. Κατά το καλοκαίρι οι θερμοκρασίες είναι υψηλές και ακατάλληλες για περπάτημα, ακόμα και αν φυσά δροσερό αεράκι.
- Όσον αφορά την ένδυση, συνιστούμε και στους άντρες και στις γυναίκες να φορούν μακριά παντελόνια κατά τη διάρκεια της άνοιξης για να αποφύγουν τις εκδορές και τα τσιμπήματα από την πλούσια βλάστηση. Το καλοκαίρι και το φθινόπωρο η περισσότερη βλάστηση ξεραίνεται και τα μονοπάτια είναι πιο ελεύθερα.
- Πρόβατα, κατσίκες και οι λιγοστές αγελάδες δεν αποτελούν απειλή ή ενόχληση, και συνήθως βρίσκονται σε περιφραγμένους χώρους. Ωστόσο, σας συμβουλεύουμε να μην πλησιάζετε τα ζώα, ιδίως την περίοδο της αναπαραγωγής. Μερικές φορές θα συναντήσετε μουλάρια στα μονοπάτια. Καλό είναι

USEFUL INFORMATION

Fitness | Shoes | Clothing | Nature | Difficulty

- None of the hiking trails in this guide require any particular expertise, such as mountaineering, or enormous stamina, though some are quite lengthy and the terrain is not always easy.
- We recommend hikers have a reasonable level of fitness for walking several kilometres. Take account of the length of the trail you intend to walk. Also note many of the trails keep away from main roads.
- For your own safety, make sure you tell someone at your lodgings, or a friend, when you are leaving and say where you intend to go, just in case you get lost or have an accident.
- Proper walking shoes are important, or trainers, plus a bottle of water, maybe an energy bar, sun cream for a sunny day, rain and wind protection if the forecast suggests more inclement weather.
- In the spring, streams can sometimes be flowing and plants can grow quickly to disrupt trails. There are sometimes painful plants such as nettles, thistles and spiky knee-high brushwood (frigana).
- In spring, there are masses of tall yellow and white daisy flowers, red poppies and various mauve flowers which add to the joy of walking the trails. In May, the yellow flowers on the sparta bush bloom.
- Also in May, caper buds are picked along a number of the hiking trails routes. Capers are a tasty addition to salads and other dishes after treatment with salt and sometimes vinegar.
- As the season turns to summer, the weather gets hot for walking even when the cooling wind blows.
- In the Autumn, flowers called sea squill (kremida) flourish across many fields. They look like wild lupins and are hung outside many houses at Christmas and New Year to bring good luck.
- For dress, we recommend that men and women wear long trousers in the spring to counter plant growth. In the summer and autumn, the trails are likely to be drier and freer of most plants.
- Animals are not a big hazard. Sheep, goats and the few cattle are usually docile and behind fences. Sometimes mules are left on tracks and should be passed in front to avoid any rear-feet kicks.
- However, we advise walkers to keep away from animals, particularly when they are reproducing.
- Children should be warned against putting hands in holes where there might be lizards that bite.
- Spiders often stretch their webs across paths. But they are harmless. The easiest way to deal with the webs is to move them out of the way. The spiders will quickly rebuild their networks.

να τα προσπερνάτε από μπροστά για να αποφύγετε τυχόν οπίσθια λακτίσματα.

- Οι αράχνες συχνά κατασκευάζουν τους ιστούς τους στα μονοπάτια αλλά είναι αβλαβείς. Διαλύστε τον ιστό τους με ένα μακρύ ξύλο για να περάσετε, και εκείνες σύντομα θα τον ξαναφτιάξουν.
- Πιθανόν να συναντήσετε φίδια, αλλά δεν είναι δηλητηριώδη. Μπορείτε να τα τρέψετε σε φυγή χτυπώντας ένα κλαδί πάνω στο έδαφος.
- Τα δαγκώματα από φίδια είναι εξαιρετικά σπάνια. Σε περίπτωση όμως που κάτι τέτοιο συμβεί ηρεμήστε και ζητήστε ιατρική φροντίδα από τον αγροτικό ιατρό της Χώρας (τηλ. 22810 31202) ή το Πολυδύναμο Ιατρείο της Δρυοπίδας (τηλ. 22810 32234).
- Συχνά στα μονοπάτια θα συναντήσετε μικρές πόρτες φτιαγμένες από σύρματα, παλέτες και άλλα πρόχειρα υλικά. Ανοίξτε τις προσεκτικά, περάστε, και κλείστε τις πίσω σας. Έτσι δεν δημιουργείτε πρόβλημα στους κτηνοτρόφους.
- Έχετε μαζί σας μια πλαστική σακούλα σκουπιδιών, και τοποθετήστε εκεί τα σκουπίδια σας. Κάντε και την καλή πράξη σας: περπατώντας στα μονοπάτια, ή στις παραλίες που θα βρεθείτε, μαζέψτε όσα περισσότερα σκουπίδια μπορείτε.
- Ο βαθμός δυσκολίας της κάθε διαδρομής είναι σχετικά αυθαίρετος, και έχει υπολογιστεί με βάση το είδος και την κλίση του εδάφους, την οχλούσα βλάστηση και συνθήκες που επιβάλλουν τη χρήση χάρτη ή δυσκολεύουν την επιλογή της σωστής κατεύθυνσης.
- Οι χρόνοι πεζοπορίας είναι ενδεικτικοί, και επηρεάζονται σημαντικά από παράγοντες όπως οι καιρικές συνθήκες, η φυσική σας κατάσταση, η παρουσία μικρών παιδιών στην πεζοπορική παρέα, κ.λπ.
- Τα ονόματα και τα τηλέφωνα των τεσσάρων οδηγών ταξί της Κύθνου είναι τα εξής:

Γιώργος Λαρεντζάκης	6945 800 278, 6944 271 609
Γιώργος Φιλιππαίος	6945 895 347
Μιχάλης Τζιώτης	6944 276 656
Μιχάλης Φιλιππαίος	6944 743 791

- Χρήσιμα τηλέφωνα:

Λιμεναρχείο	22810 32 290
Αστυνομία	22810 31 201
Δημαρχείο	22813 61 100

Αποποίηση ευθύνης

Οι συγγραφείς και ο εκδότης αυτού του πεζοπορικού οδηγού έχουν κάνει το καλύτερο που μπορούν για να εξασφαλίσουν όσο το δυνατόν μεγαλύτερη ακρίβεια στις πληροφορίες που αναφέρονται στις σελίδες του. Ωστόσο, δεν έχουν καμία ευθύνη για τυχόν δυσκολίες που θα αντιμετωπίσουν οι πεζοπόροι ακολουθώντας τις οδηγίες αυτού του οδηγού, τυχόν τραυματισμούς ή φθορά στην περιουσία τους, και δεν έχουν καμία οικονομική ή νομική ευθύνη κανενός είδους απέναντι στους χρήστες αυτού του οδηγού, οι οποίοι το χρησιμοποιούν αποκλειστικά με δική τους ευθύνη.

- Snakes are seen in Kythnos. They are regarded as innocuous by local medics. Snakes can be scared away by banging a stick on the ground.
- Getting bitten by a snake or other animal is very unlikely. If it happens, keep calm and seek immediate attention at one of the two medical centres, in Hora (Tel: 22810 31202) and Dryopida (22810 32234).
- Fences or farm gates - often in the form of steel reinforcing mesh or wooden pallets - can occasionally block routes. Move them carefully and put them back in place afterwards. Be a farmer's friend.
- When you leave the trail, or a beach, take your rubbish with you.
- Our rating of difficulty is fairly arbitrary and based on the type of terrain, the possibility of heavy undergrowth or water flows, and the need for map-reading or finding the right route.
- The timings are calculated based on distance and terrain. They may prove longer depending on weather conditions, the presence of children in the walking party, and how much you stop for photos.
- The difference in altitude figures in metres represent the height at the start, at the highest point on the trail, and, when the trail comes back up from sea level, the highest point on the trail after that.

- The phone numbers of the four taxis on the island are as follows:

Georgios Larentzakis	6945 800 278, 6944 271 609
Georgios Filippaios	6945 895 347
Michalis Tziotis	6944 276 656
Michalis Filippaios	6944 743 791

- Other useful telephone numbers:

Coast Guard	22810 32 290
Police Station	22810 31 201
Town Hall	22813 61 100

Disclaimer

The authors and publishers have made every effort to ensure the accuracy of information in this guide. However they are not responsible for any difficulties that hikers encounter, any resulting injuries, and are not financially liable in anyway.

ΔΙΑΔΡΟΜΗ | TRAIL

1A

Χώρα – Λουτρά

Hora – Loutra

1A

Απόσταση:	3,3 χλμ.
Χρόνος πορείας:	1ω
Επιστροφή:	Ταξί ή λεωφορείο από τα Λουτρά
Υψομετρική διαφορά:	150 μ. – επίπεδο θάλασσας
Αξιοθέατα:	Αγροί, εκκλησίες, οικισμός με μαρίνα, ταβέρνες, καφετέριες, μπαρ, ιαματικές πηγές, καταδυτικό κέντρο
Δυσκολία:	Εύκολο. Μόνη δυσκολία ένα μικρό βραχώδες τμήμα προς τα Λουτρά.
Σήμανση:	Καλή

Distance:	3.3 km
Walking time:	1h
Getting back:	A taxi or bus is an option for the return from Loutra
Difference in altitude:	150 m – sea level
Key attractions:	Farmlands; churches; town with marina, tavernas, bars, hot springs, scuba centre
Difficulty:	Easy; short rocky path at Loutra end.
Signposting:	Good

ΧΑΡΤΗΣ ΔΙΑΔΡΟΜΗΣ | TRAIL MAP 1A

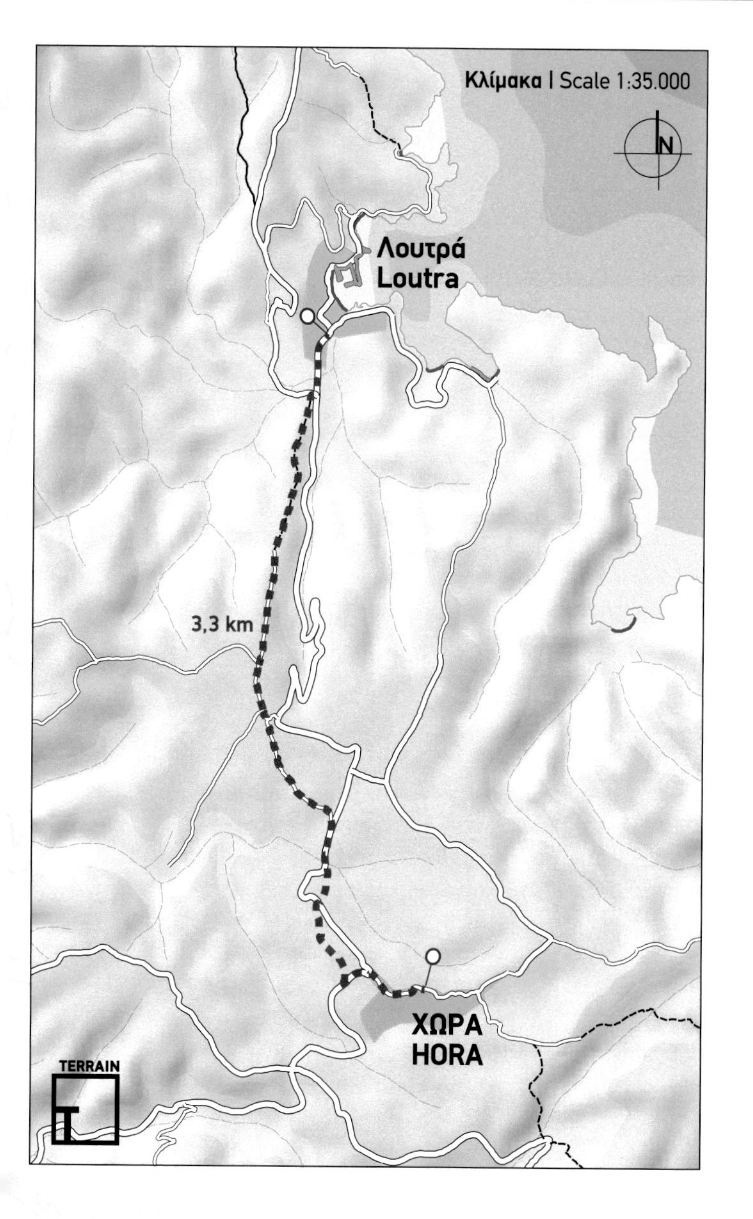

Μουλάρια και γαϊδούρια θα συναντήσετε παντού στην Κύθνο.
You will encounter many mules and donkeys in Kythnos.

Από την πλατεία μπροστά από το Δημαρχείο, προχωρήστε προς τον κεντρικό δρόμο Χώρας – Μέριχα. Ακριβώς πριν το βενζινάδικο στρίψτε δεξιά (βόρεια) στο μονοπάτι (υπάρχει πινακίδα). Αυτό το εύκολο μονοπάτι κατευθύνεται προς ένα μικρό σπίτι και ένα ξωκλήσι, όπου στρίβει ελαφρώς προς τα δεξιά. Υπάρχουν αμπέλια στα δεξιά σας, καθώς το μονοπάτι περνά ανάμεσα από μικρά αγροκτήματα. Μετά από 500 μέτρα (από την αρχή του μονοπατιού, στο βενζινάδικο) διασχίζετε την άσφαλτο, συνεχίζετε ακριβώς απέναντι πάντα με κατεύθυνση βόρεια, και μετά από άλλα 200 μ. το μονοπάτι ξανασυναντά τον κεντρικό δρόμο.

From the town hall of Hora, walk out to the main road to Merichas. At the petrol station take the mule track at the right side of the station (signposted), northwards. This easy track winds towards a small house and church, where you fork slightly to the right. There are vines on the right as the trail passes small farms. After approx. 500 m from the starting point at the fuel station you cross straight over the main asphalt road, and after another 200 m of pathway the trail reaches the main road again.

Walk on the main road for about 200 m towards the electricity power station, and then turn left, following the farm track (signposted). Follow this track, going straight at various junctions, passing farm buildings and more churches. The asphalt road can be seen at times winding its way to Loutra in the valley to the right. The trail gets onto a wider farm track after more buildings. Go straight (north) for about 900 m before ignoring the left turn and go straight onto the signposted path.

Χαρακτηριστική αγροικία με αλώνι, στη διαδρομή προς Λουτρά
Typical farmhouse in the countryside, with a threshing floor

Έχετε μερικά μήλα στο σακίδιό σας για αυτά τα περήφανα ζώα.
Keep some apples in your backpack to treat these beautiful creatures.

Ακολουθήστε τον κεντρικό δρόμο προς τα βόρεια για περίπου 200 μ., και λίγο πριν φτάσετε στο εργοστάσιο της ΔΕΗ στρίψτε αριστερά (βορειοδυτικά) στο χωματόδρομο, εκεί που υπάρχει σήμανση. Προχωρήστε ευθεία στο χωματόδρομο, ανάμεσα σε αγροτικές εγκαταστάσεις και ξωκλήσια, προσπερνώντας τις διασταυρώσεις με εμφανώς δευτερεύοντες δρόμους. Κατά διαστήματα ο κεντρικός ασφαλτόδρομος προς τα Λουτρά γίνεται ορατός στα δεξιά σας. Προχωρήστε ευθεία (βόρεια) για περίπου 900 μ., αγνοήστε τη στροφή αριστερά και εισέλθετε στο μονοπάτι με τη σήμανση.

Σύντομα θα έχετε θέα προς τον όρμο των Λουτρών καθώς η διαδρομή αρχίζει να κατηφορίζει. Αγνοήστε τυχόν διασταυρώσεις και συνεχίστε ευθεία προς τα κάτω. Το μονοπάτι φαρδαίνει μεν, αλλά γίνεται ελαφρώς πιο δύσκολο. Κατευθυνθείτε προς τις στάνες και το ξενοδοχείο που διακρίνεται στο βάθος. Το τελευταίο τμήμα είναι ένας τσιμεντοστρωμένος δρόμος που καταλήγει στον κεντρικό δρόμο Χώρας - Λουτρών. Ο δρόμος στα αριστερά σας οδηγεί στο κάστρο της Ωριάς.

Πριν φτάσετε στην παραλία των Λουτρών, θα δείτε τις πηγές των ιαματι-

There are soon views down to Loutra bay and the path goes downhill. At a three-way junction, keep going straight ahead and down onto a slightly more difficult, but wide, mule track towards animal houses and a view towards a hotel. The path ends on the concrete drive to a house which goes down to the asphalt road to Loutra. The left road goes up to the Orias Castle.

Loutra is not far and before you reach the beach you see the hot mineral water source by the church of Aghii Anarghyri to the left, the derelict Xenia hotel, and a hot water channel running by the road to the beach. Follow the channel to a hot pool at the corner of the beach. The hydrotherapy centre, open in summer months until October, is behind the Xenia. The town to the left, by the marina, offers a range of restaurants and bars. The scuba centre is at the left of the car park.

Το τελευταίο σκέλος της διαδρομής, λίγο πριν τα Λουτρά
The last section of this route, just before reaching Loutra

κών νερών δίπλα στην εκκλησία των Αγίων Αναργύρων, στα αριστερά του παλαιού ξενοδοχείου Ξενία. Τα θερμά νερά τρέχουν στο αυλάκι παράλληλα στο δρόμο και αν τα ακολουθήσετε θα βρείτε στην άκρη της παραλίας, δεξιά, την πετρόχτιστη γούρνα στην οποία καταλήγουν. Το υδροθεραπευτήριο, ανοιχτό κατά τους καλοκαιρινούς μήνες και ως τον Οκτώβριο, βρίσκεται πίσω από το Ξενία. Ο οικισμός προς τα αριστερά και δίπλα στη μαρίνα διαθέτει μία μεγάλη επιλογή από εστιατόρια και καφετέριες-μπαρ. Το καταδυτικό κέντρο βρίσκεται αριστερά του πάρκινγκ.

ΔΙΑΔΡΟΜΗ | TRAIL

1B

Λουτρά – Κάστρο της Ωριάς

Loutra – Orias Castle

Απόσταση:	3,6 χλμ.
Χρόνος πορείας:	1ω 45΄
Επιστροφή:	Από το ίδιο μονοπάτι. Δυνατότητα επιστροφής μέσω εναλλακτικής διαδρομής σε μονοπάτι και δρόμο.
Υψομετρική διαφορά:	επίπεδο θάλασσας – 250 μ.
Αξιοθέατα:	Καλλιεργημένες εκτάσεις, βυζαντινή πρωτεύουσα του νησιού, χτισμένη σε φυσικό – επιβλητικό παρατηρητήριο, εκκλησίες
Δυσκολία:	Μέτριο, το τελευταίο μέρος περιλαμβάνει απότομες στροφές σε ανάβαση απόκρημνου λόφου.
Σήμανση:	Αραιή

Distance:	3.6 km
Walking time:	1h 45΄
Getting back:	Walk back downhill from the castle; alternative road route, path.
Difference in altitude:	sea level – 250 m
Key attractions:	Farmlands; former Byzantine capital of island on imposing headland, churches
Difficulty:	Moderate; last part to castle includes zig zag up steepish hill.
Signposting:	Poor

ΧΑΡΤΗΣ ΔΙΑΔΡΟΜΗΣ | TRAIL MAP 1B

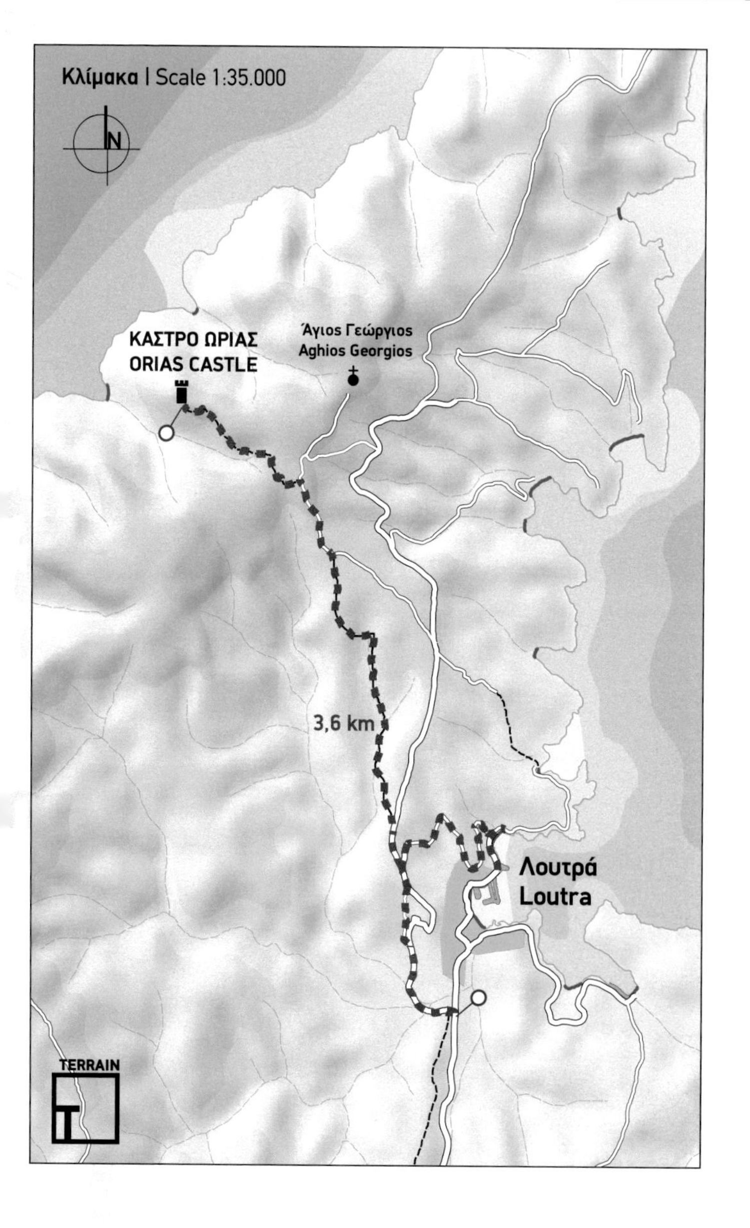

Το κάστρο της Ωριάς / *The castle of Orias*

Ο ναός του Αγίου Γεωργίου / *The church of Aghios Georgios*

Η διαδρομή ξεκινάει έξω από τον οικισμό των Λουτρών, από τον κεντρικό δρόμο προς Χώρα, 500 μέτρα από την παραλία και στρίβοντας δεξιά στον ασφαλτοστρωμένο δρόμο προς το κάστρο και τις παραλίες Ποτάμια και Άγιος Σώστης (υπάρχει πινακίδα σήμανσης που γράφει «Κάστρο»). Ακολουθήστε αυτόν το δρόμο προς τα Βόρεια, και μετά από 1,3 χλμ. αφήστε το δρόμο και μπείτε αριστερά στο μονοπάτι που θα δείτε να κατηφορίζει προς τη ρεματιά.

Μια εναλλακτική αφετηρία αυτής της διαδρομής είναι να περπατήσετε πέρα από τη μαρίνα των Λουτρών (βλ. διαδρομή 1Α), να προσπεράσετε τη σιδερένια γέφυρα του μεταλλείου προς την παραλία Σχοινάρι και να ακολουθήστε τον τσιμεντοστρωμένο δρόμο από την παραλία που καταλήγει στον ασφαλτοστρωμένο δρόμο προς Κάστρο και τις παραλίες Ποτάμια και Άγιος Σώστης. Όταν συναντήσετε τον ασφαλτόδρομο, στρίψτε δεξιά (Βόρεια) και μετά από 200 μέτρα αφήστε το δρόμο και ακολουθήστε το μονοπάτι που θα δείτε να φεύγει στην αριστερή πλευρά του δρόμου.

Στην αρχή το μονοπάτι έχει ήπια κλίση, πριν καταλήξει στη ρεματιά που κατά τους θερινούς μήνες είναι άνυδρη. Στο βάθος αριστερά θα δείτε ένα ξωκλήσι, και σε κάποιο σημείο δίπλα μονοπάτι θα συναντήσετε ένα ανοιχτό πηγάδι και μια γούρνα για το πότισμα των ζώων. Το έδαφος είναι πετρώδες και την άνοιξη καλύπτεται από πυκνά αγριόχορτα. Στρίψτε αριστερά στη διασταύρωση όπου απέναντι έχει έναν ελαιώνα, και αφήστε στα αριστερά σας το πεύκο. Μερικές φορές εκεί υπάρχουν μουλάρια ή αγελάδες και ίσως χρειαστεί να κάνετε κάποια παράκαμψη μέσα από τα χωράφια. Περίπου 1.500 μέτρα από

The trail can be started by walking out of Loutra town on the main road to Hora for 500 m from the beach and turning right on the asphalt road to Kastro and the beaches of Potamia and Aghios Sostis (signposted: "Kastro"). Follow this road northwards for 1.3 km and then turn on the trail that goes off the left side of the road.

Alternatively, walk beyond Loutra marina (see trail 1A), past the old iron ore building and crane to Schinari beach and take the concrete road out of the back of this beach, which winds up to the asphalt road to the Kastro and the beaches out of town. When you reach the asphalt road turn right and walk northwards for 200 meters, and then you will see the trail that goes off the left side of the road.

This track is flat at first, with a church away to the left, before dropping to a water course. This stream is dry during the summer. On the path there is a well, which is uncovered, plus a sink for animals to drink from. The track is on rocky ground and is overgrown in spring. Take a left at a fork junction where ahead is an olive grove. Pass to the left of a pine tree. Sometimes a mule or cattle are left on the track and may require a detour into a field. When you reach the junction with a dirt road, turn left and follow

Ο ερειπωμένος Βυζαντινός ναός της Αγίας Τριάδας, στο κάστρο της Ωριάς
The deserted Byzantine church of Aghia Triadha (Holy Trinity) in the castle

την αρχή του, το μονοπάτι καταλήγει σε έναν χωματόδρομο. Στρίψτε αριστερά (βόρεια) και ανηφορίστε σ' αυτόν το χωματόδρομο για 400 μέτρα, μέχρι να συναντήσετε στα αριστερά σας την αρχή του μονοπατιού με την πινακίδα «Κάστρο – Αγ. Γεώργιος». Ακολουθώντας αυτό το μονοπάτι θα περάσετε δίπλα από αγροτικές εγκαταστάσεις και θα έχετε την πρώτη άποψη της λευκής εκκλησίας (Παναγία Ελεούσα) στο Κάστρο (προς τα δεξιά, ο χωματόδρο-

this road uphill (northwards). After 400 m you will see the trail leading to the castle, on the left side of the road, signposted "Kastro-Aghios Georgios". Turn left here, follow the trail past some farm buildings and get the first sight of the white church, Panaghia Eleousa, on the castle headland (the straight-on road goes to the Aghios Georgios church after 500 m.) Pass in front of the farm buildings and into a field with a metal gate. Cross diagonally the field and out by another, small, metal gate.

The path to the castle and its church is marked with white paint on the ground and is straightforward. However it rises up and needs attention. The location has impressive drops down the valley to the sea. The Byzantine castle, which has been an active settlement since 3000 years before Christ, was destroyed by the Turks in 1570. The remains cover much of the headland after the archway entry. Panaghia Eleousa holds a feast with music on 23 August each year.

Coming back to Loutra, the mule track can be avoided by taking the easier dirt road down to the asphalt road. For the adventurous, it is possible to go straight over the asphalt road onto another track, past some houses, past Maroula beach and round the headland to Schinari.

μος καταλήγει στο ξωκλήσι του Αγίου Γεωργίου μετά από 500μ). Σε αυτό το σημείο αξίζει να επισκεφθείτε και το ξωκλήσι του Απ. Φιλίππου.

Συνεχίζοντας προς το Κάστρο, περνάτε μπροστά από τα κελιά και καταλήγετε σ' ένα χωράφι με σιδερένια πόρτα. Το διασχίζετε διαγώνια και βγαίνετε από μία μικρότερη σιδερένια πόρτα.

Από εκεί και πέρα το μονοπάτι προς το Κάστρο και το ναό της είναι σημαδεμένο με ασβέστη πάνω στο έδαφος και είναι εύκολα ορατό. Παρόλα αυτά είναι ανηφορικό και απαιτεί προσοχή. Η περιοχή έχει εντυπωσιακές απόκρημνες πλαγιές που καταλήγουν στη θάλασσα. Το βυζαντινό κάστρο της Ωριάς, που ήταν ενεργός οικισμός από το 3000 π.Χ., καταστράφηκε από τους Τούρκους το 1570 και τα ερείπια καλύπτουν όλη την περιοχή, αμέσως μετά από την τοξωτή πύλη. Η Παναγία της Ελεούσας γιορτάζει στις 23 Αυγούστου.

Για να επιστρέψετε στα Λουτρά, δεν είναι απαραίτητο να ακολουθήσετε αντίστροφα το μονοπάτι από το οποίο ήρθατε. Μπορείτε εναλλακτικά να κατηφορίσετε στο χωματόδρομο που συναντήσατε πριν, και να τον ακολουθήσετε προς τα νοτιοδυτικά μέχρι να βγείτε στην άσφαλτο. Αν θέλετε και λίγη περιπέτεια, φτάνοντας στον ασφαλτοστρωμένο δρόμο μπορείτε να συνεχίσετε απέναντι στο χωματόδρομο που περνάει πίσω από κάποια σπίτια, να κατηφορίσετε με μονοπάτι προς την παραλία του Μαρουλά, και από εκεί να ακολουθήσετε τον παραλιακό χωματόδρομο που καταλήγει στο Σχοινάρι.

Ο ναός της Παναγίας Ελεούσας, στο κάστρο της Ωριάς
The church of Panaghia Eleousa, in the castle

ΔΙΑΔΡΟΜΗ | TRAIL 2

Δρυοπίδα – Παναγιά του Μαθιά – Λεύκες

Dryopida – Panaghia stou Mathia – Lefkes

Απόσταση:	3,6 χλμ.
Χρόνος πορείας:	1ω 30'
Επιστροφή:	Ταξί από τις Λεύκες
Υψομετρική διαφορά:	190 μ. – 240 μ. – επίπεδο θάλασσας
Αξιοθέατα:	Οι εκκλησίες του χωριού και τα ξωκλήσια, οι εγκαταστάσεις του μεταλλείου, δύο παραδοσιακά πλυσταριά, παραλία, ταβέρνα
Δυσκολία:	Μέτρια, πυκνά αγριόχορτα την άνοιξη
Σήμανση:	Αραιή

Distance:	3.6 km
Walking time:	1h 30'
Getting back:	A taxi is an option for the return from Lefkes
Difference in altitude:	190 m – 240 m – sea level
Key attractions:	Village churches; former mining company buildings; two traditional washhouses; beach; taverna
Difficulty:	Moderate; maybe bit overgrown in spring
Signposting:	Poor

ΧΑΡΤΗΣ ΔΙΑΔΡΟΜΗΣ | TRAIL MAP 2

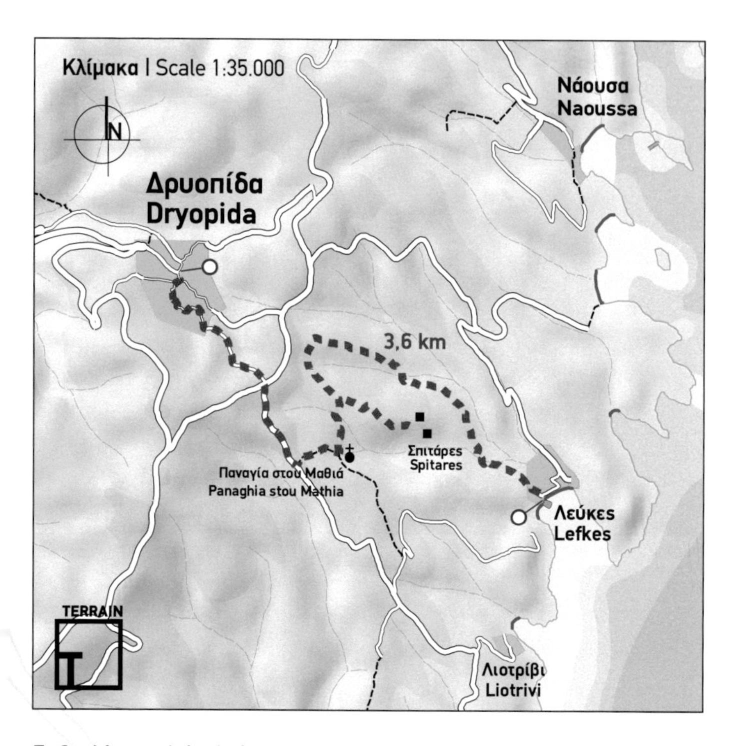

Το ξωκλήσι του Αγίου Ιωάννη του Κλύδωνα
The country church of Aghios Ioannis Klydonas

Η συνοικία του Αγίου Βλασίου, στη Δρυοπίδα
The neighborhood of Aghios Vlassios, in Dryopida

Τα πλυσταριά, στις Λεύκες (αριστερά) και στου Μαθιά (δεξιά)
The washhouse at Lefkes (left) and at Panaghia stou Mathia (right)

Από το χώρο αναστροφής του λεωφορείου (Καινούργιος Δρόμος), στη Δρυοπίδα, κατευθυνθείτε προς την εκκλησία της Αγίας Άννας και συνεχίστε δεξιά στην «Πιάτσα» με τα καταστήματα και τις καφετέριες. Προσπεράστε το «Κάμπισμα» (πλατεία με σούπερ μάρκετ) και κατευθυνθείτε προς το σπήλαιο Καταφύκι. Αφήστε στα δεξιά σας την ταβέρνα «Σταμάτης». Μετά από 50 μ. αγνοήστε την πινακίδα προς το Καταφύκι στα δεξιά σας. Η διαδρομή περνάει μέσα από την περιοχή «Πλακάρες» και τους όμορφους κήπους της, μέχρι την εκκλησία του Αγίου Σπυρίδωνα, όπου στρίβει δεξιά και μετά από 20 μ. φτάνει στη δίκλιτη εκκλησία των Αγίων Αναργύρων. Αφήστε την εκκλησία στα αριστερά σας και μετά από μερικά μέτρα, μόλις φτάσετε στην περιοχή «Άγιος Βλάσης», στρίψτε δεξιά και ακολουθήστε τα ανηφορικά σκαλιά που οδηγούν έξω από τη Δρυοπίδα.

Στην εκκλησία του Αγίου Βλάση που βρίσκεται στην κορυφή, στρίψτε αριστερά και ακολουθήστε το χωματόδρομο προς τα νοτιοανατολικά. Μετά από 400 μ. διασχίζετε τον κεντρικό δρόμο και αφήνετε την εκκλησία του Ταξιάρχη στα αριστερά σας. Λίγα μέτρα αριστερά από την εκκλησία βρίσκεται ο τάφος του Ιωάννη Μελά, Δημάρχου της Δρυοπίδας τη δεκαετία του 1880.

Ακολουθήστε τον ασφαλτοστρωμένο δρόμο προς Καλό Λιβάδι. Μετά από 450 μ. στρίψτε αριστερά στο παλιό αγροτικό μονοπάτι, απέναντι από κάτι αποθήκες. Μετά από άλλα 220 μ. το μονοπάτι χωρίζει στα δύο (σύνδεση με Διαδρομή 3). Για τις Λεύκες πηγαίνετε αριστερά προς την Παναγιά του Μαθιά για 20 μ. Πίσω απ' την εκκλησία θα δείτε την πηγή και τα πλυσταριά του Μαθιά που χτίστηκαν πριν από 150 χρόνια περίπου, τα οποία χρησιμοποιούνταν από τις γυναίκες της Δρυοπίδας έως και τη δεκαετία του '70.

From the bus stop square (signed the New Road) in the mostly pedestrianised village of Dryopida turn up to the big church of Aghia Anna, then right down the "high street" (the Piatsa) of shops and bars. Thread your way past the square (Kabisma) with the supermarket, heading for the Katafyki cave. Pass to the left of Stamatis's pita restaurant. After 50 m ignore the sign for the cave to the right. The trail goes straight on through the Plakares district curving past gardens on the left until the church of Aghios Spiridon, where it turns right and 20 m later comes to the double fronted Aghii Anarghiri church. Leave this church on the left and after a few metres turn right up the long steps out of town.

At the Aghios Vlassios church at the top of the wide steps turn left onto the farm track. Then onto the main road and cross at the Taxiarchis church. Aghia Anna's builder Ioannis Melas, a Dryopida mayor in the 1880s, lies in the unmarked grave on the left side of Taxiarchis. Follow the asphalt road to Kalo Livadi. After about 450 m turn left onto the path, opposite storage buildings. After 220 m the path divides. (The right fork is for Kalo Livadi and Kanala – see Trail 3.) For Lefkes take the left to the Panaghia stou Mathia, 20 m further on. Behind the church there is a spring and washhouse, built around 150 years

Το μονοπάτι ανεβαίνει τον λόφο και κατευθύνεται προς ένα λευκό σπίτι με πολεμίστρες. Στο σημείο αυτό, ο κλάδος δεξιά οδηγεί στα επιβλητικά κτίρια των μεταλλείων σιδήρου, τις λεγόμενες «Σπιτάρες». Το μεταλλείο έκλεισε το 1940 και βρίσκεται στη βάση του λόφου, στην προέκταση του σπηλαίου Καταφύκι. Μεταλλευτικές στοές υπήρχαν και σε άλλα σημεία του νησιού. Στις Λεύκες υπάρχει ακόμα ο γερανός φόρτωσης των πλοιαρίων. Η είσοδος προς τα κτίρια δεν είναι σαφής. Για να πάτε προς τις Λεύκες, γυρίστε πίσω προς το σπίτι με τις πολεμίστρες και ακολουθήστε τον άλλο κλάδο του μονοπατιού βλέποντας στο βάθος το κτίριο του ΟΤΕ.

Μετά από 360 μ. στρίψτε δεξιά στο μονοπάτι και από εκεί κατηφορίστε για 1,5 χλμ. προς τις Λεύκες. Θα περάσετε δίπλα από το ξωκλήσι του Αγίου Ιωάννη, έναν ελαιώνα, τα πλυσταριά με την ιδιαίτερη αρχιτεκτονική (χτισμένα το 1852) και κτήματα με αμπέλια στις Λεύκες. Το μονοπάτι καταλήγει στην παραλία, στην εκκλησία του Αγίου Νικολάου. Στην άλλη πλευρά της παραλίας υπάρχει μια ταβέρνα. Μία εναλλακτική διαδρομή επιστροφής είναι να ανεβείτε το μονοπάτι από τις Λεύκες προς το ξωκλήσι του Αγίου Ιωάννη, να αγνοήσετε τη στροφή προς το σπίτι και να προχωρήσετε ευθεία (βορειοδυτικά) προς τον κεντρικό δρόμο Δρυοπίδας – Χώρας. Μόλις βγείτε στην άσφαλτο στρίψτε αριστερά (νότια) και μετά από 20 μ. στρίψτε δεξιά και ακολουθήστε το δρόμο προς Δρυοπίδα που περνάει από το νεκροταφείο και το γήπεδο 5Χ5.

Η εικόνα της Παναγίας, στην Παναγία του Μαθιά
The country church of Panaghia stou Mathia

Η διασταύρωση προς Σπιτάρες / The crossroad to Spitares

ago, and used by Dryopida women up until the 1970s to wash clothes by hand.

The trail turns back up the hill to a white house with a crenellated tower. At the house, the right turn goes to the disused administrative buildings of an iron ore mining company in the Spitares area. Mining stopped in 1940. The original mines are under this hillside, in an extension of the Katafyki cave, and elsewhere on the island. Lefkes still has the crane used to lift ore onto ships in the bay. The path to the mining buildings does not reach a satisfactory end. So for Lefkes turn back up the path to the "crenellated" house and follow the other branch of the path uphill, looking towards the phone company building.

After 360 m turn right and then it is pretty much straight down for 1.5 km to Lefkes, past Aghios Ioannis church, a second washhouse built in 1852 with interesting architecture, olive trees, and in Lefkes some grape vines. The walk ends at the Aghios Nikolaos church on the beach. At the other end of the beach there is a taverna. An alternative return route is to go straight up the path from Lefkes, past the Aghios Ioannis church, ignoring the turn to the crenellated house, and going straight up to the Dryopida/Hora main road. 20 m to your right is the road into Dryopida via the town cemetery and the five-a-side football ground.

Οι Σπιτάρες, τα γραφεία της Μεταλλευτικής Εταιρίας που λειτουργούσε στο νησί την περίοδο 1873-1940. Στο βάθος, η ακατοίκητη βραχονησίδα Πιπέρι.

The so-called Spitares, the administrative buildings of the iron ore mining company operating here in the years 1873-1940, Piperi is uninhabited island out to sea.

ΔΙΑΔΡΟΜΗ | TRAIL

3

**Παναγιά στου Μαθιά –
Καλό Λιβάδι – Παναγιά Κανάλα**

Panaghia stou Mathia –
Kalo Livadi – Panaghia Kanala

Απόσταση:	5,6 χλμ.
Χρόνος πορείας:	1ω 50'
Επιστροφή:	Ταξί, λεωφορείο
Υψομετρική διαφορά:	160 μ. – επίπεδο θάλασσας – 120 μ. – επίπεδο θάλασσας
Αξιοθέατα:	Θέα προς το πέλαγος και τα γειτονικά νησιά, παραλίες, πολιούχος Κύθνου, εκκλησίες
Δυσκολία:	Μέτρια, πιθανή βλάστηση την άνοιξη
Σήμανση:	Όχι (υπάρχει πινακίδα μόνο στην αρχή)

Distance:	5.6 km
Walking time:	1h 50'
Getting back:	A taxi or bus is an option for the return from Kanala
Difference in altitude:	160 m – sea level – 120 m – sea level
Key attractions:	Views across the Aegean Sea; beaches; key island church
Difficulty:	Moderate; maybe bit overgrown in spring;
Signposting:	Poor (just one sign on the starting point)

ΧΑΡΤΗΣ ΔΙΑΔΡΟΜΗΣ | TRAIL MAP 3

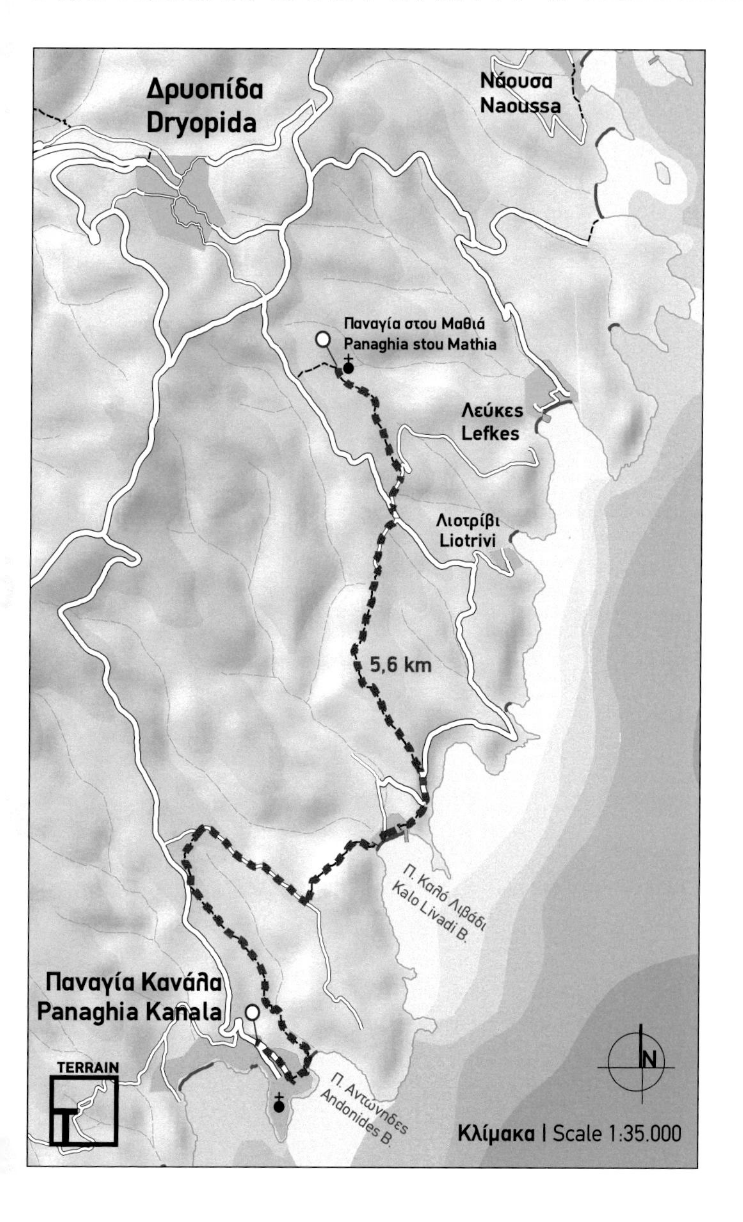

Η αφετηρία της διαδρομής, η Παναγία στου Μαθιά
The church of Panaghia stou Mathia, the starting point of this route

Το μονοπάτι από την Παναγία στου Μαθιά προς Καλό Λιβάδι
The trail leading to Kalo Livadi

Αυτή η διαδρομή, μπορεί να ξεκινήσει από τη Δρυοπίδα, ακολουθώντας τις οδηγίες της Διαδρομής 2 ως την Παναγιά στου Μαθιά. Η περιγραφή της Διαδρομής 3 ξεκινάει από το Μαθιά. Από το σημείο αυτό, ακολουθήστε το παλιό αγροτικό μονοπάτι δεξιά (νοτιοανατολικά). Κάποιες πέτρινες πεζούλες έχουν καταρρεύσει, αλλά δεν αποτελούν σημαντικό πρόβλημα. Στα 200 μ. ακολουθείστε τον δεξιά κλάδο. Πουλιά, λουλούδια και πεταλούδες θα σας συντροφεύουν την άνοιξη.

Πίσω σας έχετε θέα στις Λεύκες και κάτω αριστερά στο δρόμο που οδηγεί στο Λιοτρίβι, την παραλία του και τον οικισμό στη δεξιά πλευρά του όρμου. Όταν φτάσετε στο χωματόδρομο, στρίψτε δεξιά μέχρι τον ασφαλτοστρωμένο δρόμο προς Καλό Λιβάδι. Στρίψτε αριστερά και μετά από 50 μ. στρίψτε δεξιά στον άλλο χωματόδρομο, τον οποίο ακολουθείτε για 300 μ. προσπερνώντας τα νεόκτιστα σπίτια στα αριστερά σας. Από εδώ έχετε εξαιρετική θέα προς τα γειτονικά νησιά Σερίφο και Σίφνο, και τις βραχονησίδες Πιπέρι και Σερφοπούλα. Όταν η ορατότητα είναι καλή, μπορείτε να διακρίνετε την Πάρο, τη Σύρο, την Τήνο και την Άνδρο στο βάθος.

Μόλις περάσετε τα σπίτια, μετά από 30 μ. στρίψτε δεξιά στο μονοπάτι και συνεχίστε ίσια (νότια) αγνοώντας όλες τις διασταυρώσεις. Μετά από λίγο, το Καλό Λιβάδι και τα σπίτια γίνονται ορατά. Η Παναγιά η Καλολιβαδιανή βρίσκεται στα αριστερά της παραλίας και εορτάζει στις 7 Σεπτεμβρίου.

Μετά την εκκλησία κατεβείτε τα σκαλιά προς την παραλία και διασχίστε την. Στην αριστερή πλευρά του τελευταίου σπιτιού το μονοπάτι αρχίζει με σκαλοπάτια. Πηγαίνετε ευθεία. Η διαδρομή είναι ανηφορική σε πετρώδες έδαφος.

This trail can be started in Dryopida, following the route in Trail 2 down to Panaghia stou Mathia. This description for Trail 3 starts at Mathia. From the junction there with Trail 2, follow the path right (southeast) along a mule track. Walls have come down across the path but present no real problem. After 200 m take a right fork, keeping to the high ground. Birds, flowers and butterflies abound in the spring.

There are views back to Lefkes and left down to the beach of Liotrivi with the road and housing on the right side of its bay. The trail joins a farm track before crossing the Liotrivi/Kalo Livadi road. Then the path goes up slightly to pass a group of new houses. There are views to the neighbouring islands of Serifos and Sifnos preceeded by the uninhabited islands of Piperi and Serfopoula. On a clear day, you may see Paros, Syros, Tinos, and Andros islands away in the distance.

Follow the path to the left beyond the houses and after 30 m to the right. Keep going straight (south), ignoring junctions with secondary trails, and after a while the beach of Kalo Livadi and buildings come into view. The Panaghia Kalolivadiani is the church on the left of the beach, which holds a feast with music on 7 September each year.

Η Παναγία Καλολιβαδιανή / *The church of Panaghia Kalolivadiani*

Στον χωματόδρομο στρίψτε δεξιά. Περπατήστε για 550 μ. και στρίψτε αριστερά στο μονοπάτι, περίπου 150 μ. πριν τον κεντρικό δρόμο προς Κανάλα. Αυτό το μονοπάτι κατηφορίζει μέχρι την ακτή, στην παραλία Αντώνηδες. Το τελευταίο τμήμα της διαδρομής διασχίζει το ρέμα. Κάποιες εποχές του χρόνου, αυτό το τμήμα έχει εμπόδια, όπως φράχτες και πυκνή βλάστηση. Σ' αυτήν την περίπτωση σας συνιστούμε να ακολουθήσετε τον κεντρικό δρόμο προς Κανάλα, αντί για το μονοπάτι.

Η παραλία Καλό Λιβάδι / *Kalo Livadi beach*

Η παραλία Αντώνηδες, ανατολικά από την Κανάλα / *Andonides beach, east of Kanala*

Από την παραλία, ανεβείτε τα σκαλιά προς τον οικισμό. Στρίψτε δεξιά το δρόμο ανάμεσα στα σπίτια που καταλήγει στον κεντρικό δρόμο της Κανάλας. Ο οικισμός της Κανάλας και το πευκοδάσος απλώνεται μπροστά σας. Η Παναγία Κανάλα είναι η προστάτιδα του νησιού και γιορτάζει το Δεκαπενταύγουστο. Η εκκλησία, στη σημερινή της μορφή, χτίστηκε τη δεκαετία του 1870, στη θέση του παλιότερου, μικρότερου ναού που λειτουργούσε ως μοναστήρι μέχρι τη δεκαετία του 1820. Επίσης, θα βρείτε πολλές ταβέρνες και καφετέριες στον οικισμό και στην παραλία της Μεγάλης Άμμου.

After the church, go down the steps to the beach. Cross the beach. To the left side of the last house the path restarts up steps. Go straight ahead. It is a 500 m climb ahead on stone steps. Then the trail reaches a farm track. Turn right on this track and walk for 550 m before turning left on a mule track beside new houses and about 150 m before the main Kanala road. The path continues all the way down to Andonides beach.

At some times of the year, the last part of the trail to Andonides can get blocked by farm gates, fences and overgrowth. In this case, we recommend walking down the asphalt road to Kanala.

Steps up on the right of Andonides beach lead to the town of Kanala. After the steps, turn right and follow the road between the houses until you meet the main road. The Panaghia Kanala complex of church buildings is reached going on the road towards the left on the headland among pine trees. The Virgin Mary of Kanala is considered the patron saint and protector of the island. The key religious service is held on 15 August. Today's church was built in the 1870s on top of a smaller church which was part of a monastery dissolved in the 1820s. There are several tavernas and coffee shops in the town and on Megali Ammos beach.

ΔΙΑΔΡΟΜΗ | TRAIL 4

Χώρα – Παναγία του Νίκους – Άγιος Ιωάννης

Hora – Panaghia tou Nikous – Aghios Ioannis

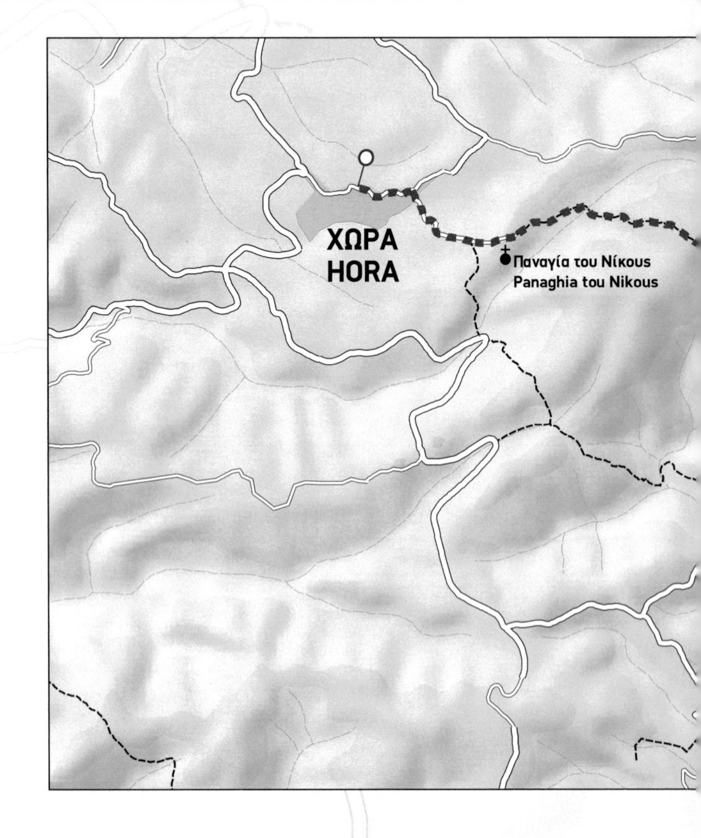
ΧΩΡΑ
HORA
Παναγία του Νίκους
Panaghia tou Nikous

ΧΑΡΤΗΣ ΔΙΑΔΡΟΜΗΣ | TRAIL MAP 4

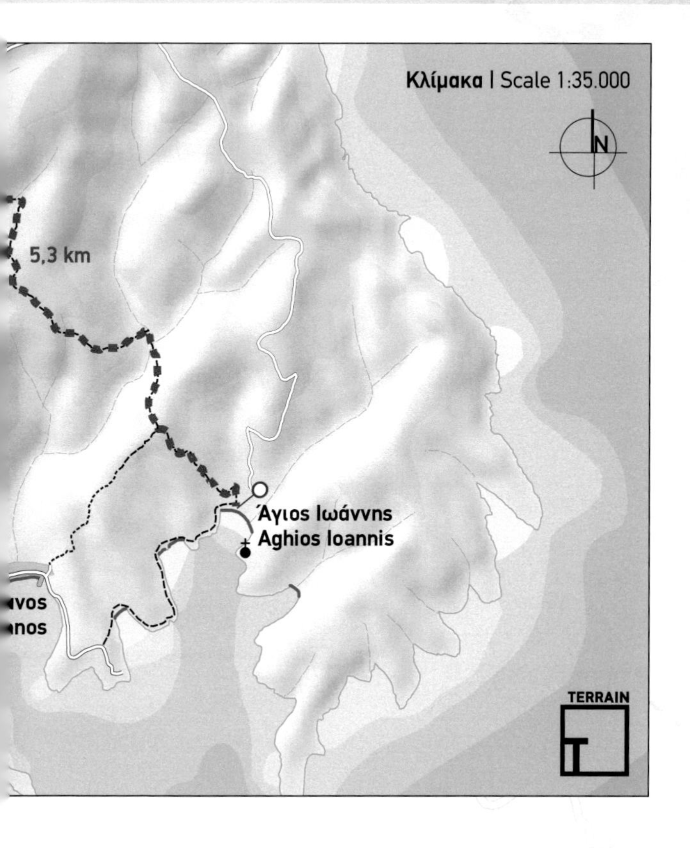

Απόσταση:	5.3 χλμ.
Χρόνος πορείας:	2ω 30'
Επιστροφή:	Δεν υπάρχει οδική πρόσβαση στον προορισμό. Μπορεί να σας παραλάβει από τον Άγιο Ιωάννη θαλάσσιο ταξί κατόπιν συνεννόησης, ή να συνεχίσετε με τα πόδια ως τον Άγιο Στέφανο και από εκεί να επιστρέψετε με ταξί.
Υψομετρική διαφορά:	150 μ. – 260 μ. – επίπεδο θάλασσας
Αξιοθέατα:	Πρωτεύουσα, ιστορικό μοναστήρι, εκκλησίες, ερημικά τοπία, αμμουδερή παραλία, προϊστορικό λιμάνι
Δυσκολία:	Μέτρια προς υψηλή, με μεγάλο μήκος διαδρομής. Το τμήμα πάνω απ' τον Άγιο Στέφανο απαιτεί προσοχή λόγω πολλών διασταυρώσεων.
Σήμανση:	Ναι

Distance:	5.3 km
Walking time:	2h 30'
Getting back:	No road access to Aghios Ioannis; boat pick-up or hike to Aghios Stephanos for taxi.
Difference in altitude:	150 m – 260 m – sea level
Key attractions:	Capital town; historical monastery; remote country nature; beach, prehistoric port
Difficulty:	Moderate to difficult, fairly long; post-hike route by the sea to Ag. Stephanos is tricky in places.
Signposting:	Good

***Αριστερά:* η αρχή της διαδρομής, στο κεντρικό σοκάκι της Χώρας**
Left; The central paved street of Hora, the beginning of the route

***Δεξιά:* θέα προς τη Χώρα, από την Παναγία του Νίκους**
Right; View towards Hora, from Panaghia tou Nikous

Η Παναγία του Νίκους / *The church of Panaghia tou Nikous, a former monastery and school*

Από την κεντρική πλατεία της Χώρας, μπροστά από το Δημαρχείο, προχωρήστε ανατολικά στο κεντρικό καλντερίμι, προς την Πιάτσα της Χώρας. Περάστε τα καταστήματα, τις καφετέριες, το καταστεΐ (την καμάρα) και την πλατεία με την εκκλησία του Αγίου Ιωάννου του Θεολόγου στα δεξιά σας. Περάστε κάτω από άλλο ένα καταστεΐ, στρίψτε δεξιά και έπειτα αριστερά (υπάρχει πινακίδα που γράφει: προς Παναγία του Νίκους). Μόλις φτάσετε στην εκκλησία της Αγίας Αικατερίνης στρίβετε αριστερά και ακολουθείτε τον τσιμεντοστρωμένο δρόμο προς την Παναγία του Νίκους. Αξίζει να κάνετε μια στάση για να δείτε αυτό το μοναστήρι, όπου λειτουργούσε σχολείο από το 1809 έως το 1840. Η Παναγία του Νίκους γιορτάζει τον Δεκαπενταύγουστο.

Από την Παναγία του Νίκους συνεχίζετε ακολουθώντας το μονοπάτι, με κατεύθυνση ανατολικά. Κατηφορίστε λίγο, στρίψτε αριστερά και μετά από 25 μ. δεξιά, ακολουθώντας τη σήμανση. Θα περάσετε δίπλα από το μικρό ξωκλήσι του Αγίου Νικολάου, όπου αξίζει να κάνετε μια στάση για να απολαύσετε τη θέα προς τα Λουτρά. Σε απόσταση 1.500 μέτρων προς τα βορειοανατολικά, βλέπετε το ξωκλήσι του Προφήτη Ηλία χτισμένο στην υψηλότερη κορυφή της Κύθνου (336 μ.). Από το ξωκλήσι του Αγίου Νικολάου ανηφορίζετε προς την κορυφή του λόφου, όπου το μονοπάτι στρίβει αριστερά (ανατολικά), ακολουθώντας την κορυφογραμμή. Συνεχίζετε ευθεία, διασχίζετε καθέτως έναν αγροτικό δρόμο, και μετά από ακόμα 250 μ. το μονοπάτι στρίβει δεξιά (νότια). Κατεβείτε τα απότομα πέτρινα σκαλοπάτια και συνεχίστε στο μονοπάτι που ακολουθεί τη ρεματιά περιμετρικά και κατόπιν ανηφορίζει πάλι.

From the main square in front of the island's town hall (ΔΗΜΑΡΧΕΙΟ-DIMARHIO) head into the pedestrianised Hora. Pass shops, bars, the Aghios Ioannis Theologos church on the right, and go under a little archway. Turn right and then left, checking for a sign to Panaghia tou Nikous. Immediately after passing by the church of Ag. Ekaterini, on your left, turn left and follow the concrete path all the way to the Panaghia tou Nikous. A plaque explains that from 1809 to 1840 this monastery was a school for young people. The key religious service is held on 15 August. Continue on the mule track eastwards, away from the town.

Down a bit, then take a left and after 25 m a right, which is marked. Pass by the left of the small church of Aghios Nikolaos. There is a lot of rolling country and views left to Loutra and beyond. Above in the distance and to the left is the church of Prophitis Ilias, on the highest peak of the island. At the top of the hill the path turns left along a ridge. Then straight over one junction with a farm track, and after a further 250 m the path turns right. Down over rough stone steps before the path follows the contour of the valley around and up again.

Η παραλία του Αγίου Ιωάννη / Aghios Ioannis beach

Το ξωκλήσι του Αγίου Γεωργίου / *The country church of Aghios Georgios*

Από την κορυφή του επόμενου λόφου, ο Άγιος Στέφανος, η Νάουσσα, το Κουρί και το Ζογκάκι είναι ορατά. Για τον Άγιο Ιωάννη συνεχίστε ευθεία, περάστε το λόφο και κατεβείτε προς την επόμενη ρεματιά που εκτείνεται σε 200 μ. μήκος, γεμάτη με άσπρες και κόκκινες πικροδάφνες. Την άνοιξη βατράχια και νεροχελώνες κάνουν την εμφάνισή τους εδώ. Διασχίστε τη ρεματιά και ανεβείτε τα σκαλοπάτια, προσπερνώντας το ξωκλήσι του Αγίου Γεωργίου στα δεξιά σας.

Ακόμα 300 μ. ανάβασης για να φτάσετε στην επόμενη διασταύρωση, όπου επιλέγετε το αριστερό σκέλος για Άγιο Ιωάννη (το δεξιό σκέλος είναι ένα δύσβατο μονοπάτι που μετά από 1 χλμ. σας βγάζει κατευθείαν στον Άγιο Στέφανο). Κατηφορίζοντας προς τα νοτιοανατολικά, απολαμβάνετε τη θέα

From the top of the next hill, the beaches of Aghios Stephanos, Naoussa, Kouri and Zogaki come into view. For Aghios Ioannis, continue straight on over the hill and into another valley with a water course feeding a 200 m stretch of oleander bushes, red and white in the summer. In the spring, shy frogs and terrapins squawk in the bushes. Pass the water course and up the steps past Aghios Georghios church.

Another 300 m up the hill to a junction. The right path is a shortcut (1 km) to Aghios Stephanos. Our trail turns left and soon there is the first sight of the beach of Aghios Ioannis. The houses are clad with stone and fit in well with the landscape. Follow the path to the sandy beach which has tamarisk trees for shade. Aghios Ioannis was a port for exporting copper in prehistoric times.

As an addition to the trail, it is possible to take the path by the sea to Aghios Stephanos. But in the next bay you need to clamber on rocks by the sea and scale a wall. At the next headland, you go over another wall to avoid a sharp drop. After that it is a fairly straightforward walk across hills and hidden beaches, before coming out by houses on the north side of Aghios Stephanos bay.

Θέα προς Αγιο Στέφανο, Κουρί, Νάουσα, Ζογκάκι
View towards Aghios Stephanos, Kouri, Naoussa and Zogaki beaches

Η ρεματιά πριν το ξωκλήσι του Αγίου Γεωργίου / The valley just before Aghios Georgios church

προς την υπέροχη παραλία του Αγίου Ιωάννη με τα αλμυρίκια, μερικά πετρόκτιστα σπίτια και το ομώνυμο μικρό ξωκλήσι. Ο Άγιος Ιωάννης κατά την αρχαιότητα υπήρξε λιμάνι εξαγωγής μεταλλεύματος χαλκού.

Για την επιστροφή σας, μπορείτε να κινηθείτε κατά μήκος της ακτογραμμής προς Άγιο Στέφανο. Στον επόμενο ορμίσκο θα χρειαστεί να σκαρφαλώσετε τις ξερολιθιές για να αποφύγετε τα απότομα βράχια. Μετά από αυτό, η διαδρομή είναι πιο ξεκάθαρη και περνά λοφίσκους και κρυμμένες παραλίες, μέχρι να συναντήσετε τα νεόκτιστα σπίτια, νότια του Αγίου Στεφάνου. Από εκεί και πέρα ο χωματόδρομος θα σας οδηγήσει στην παραλία του Αγίου Στεφάνου.

Η παραλία του Αγίου Ιωάννου / *Aghios Ioannis beach*

Η παραλία και ο οικισμός του Αγίου Στεφάνου
The beach and the village of Aghios Stephanos

Περπατώντας δίπλα στην ακτογραμμή, από την παραλία του Αγίου Ιωάννου προς τον Άγιο Στέφανο, θα συναντήσετε μερικές πανέμορφες ερημικές αμμουδιές.

Walking along the coast from the beach of Aghios Ioannis to Aghios Stephanos past isolated beaches.

ΔΙΑΔΡΟΜΗ | TRAIL 5

Χώρα – Άγιος Στέφανος
Hora – Aghios Stephanos

ΧΩΡΑ

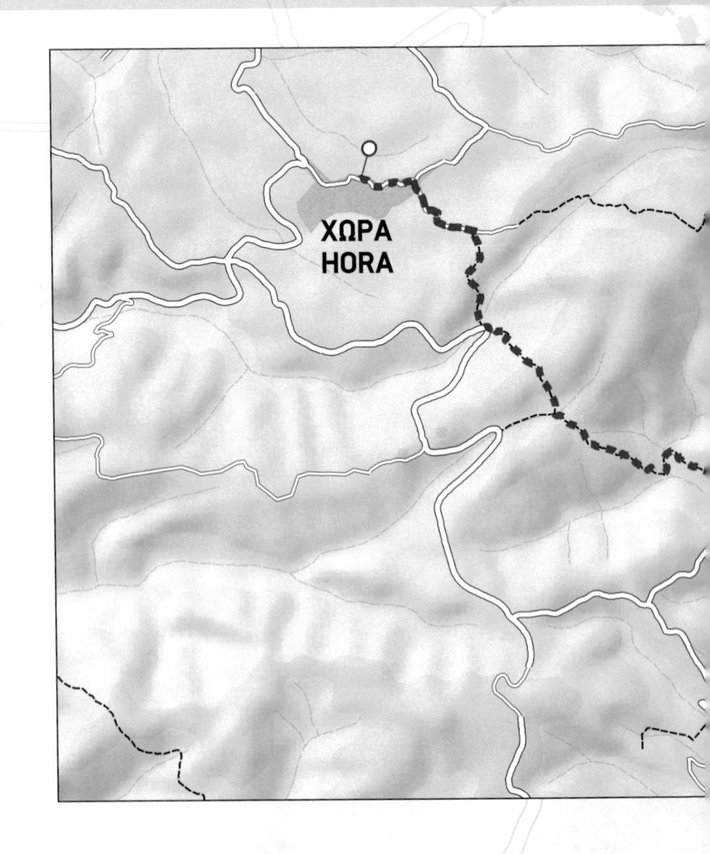

ΧΑΡΤΗΣ ΔΙΑΔΡΟΜΗΣ | TRAIL MAP 5

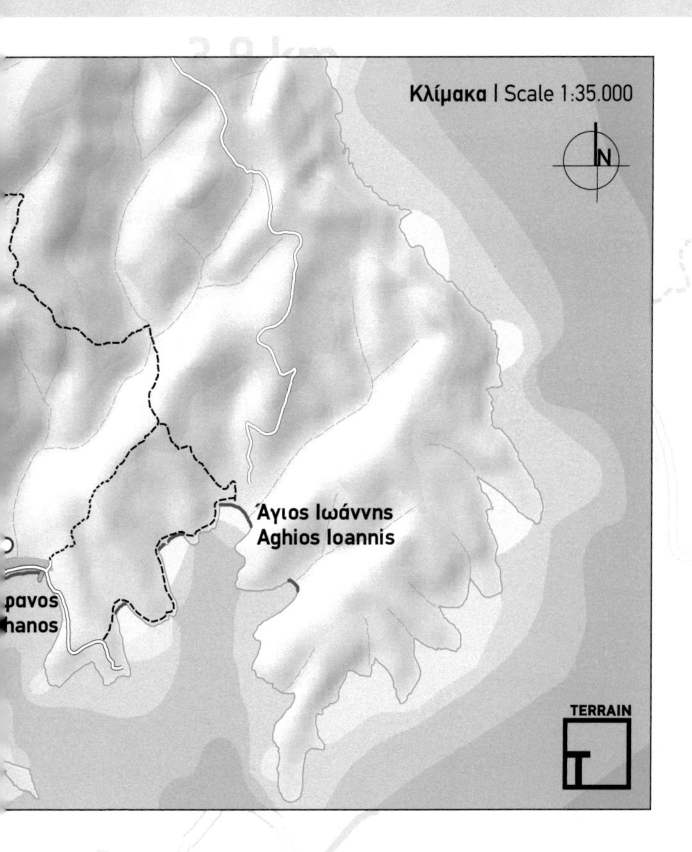

Απόσταση:	3,9 χλμ.
Χρόνος πορείας:	1ω 30΄
Επιστροφή:	Ταξί από Άγιο Στέφανο
Υψομετρική διαφορά:	150 μ. – 200 μ. – επίπεδο θάλασσας
Αξιοθέατα:	Πρωτεύουσα, εκκλησίες, περιστεριώνας, απότομη πέτρινη σκάλα, ταβέρνα «Καντρής», παραλία, σύνδεση με Διαδρομή 6Β
Δυσκολία:	Μέτρια. Κατά τόπους απότομη κλίση με πέτρινα σκαλοπάτια, αγριοχόρτα την άνοιξη
Σήμανση:	Ναι

Distance:	3.9 km
Walking time:	1h 30'
Getting back:	Taxi from Aghios Stephanos
Difference in altitude:	150 m – 200 m – sea level
Key attractions:	Capital town; churches; pigeon house; steep, long stone staircase; Taverna Kantris; link to Trail 6B
Difficulty:	Moderate; stone stairs are demanding climb; overgrown in spring
Signposting:	Good

Σήμανση στη συμβολή του μονοπατιού με τον ασφαλτόδρομο
Signposting of the trail, at the junction with the asphalted main road

This trail is presented in reverse direction, uphill, because it can be walked after Trail 4 to Aghios Ioannis and a walk across the headland (see Trail 4). The Taverna Kantris is a spot to stop in Aghios Stephanos for lunch, just 150 m behind the tree-lined beach.

From the west end of Aghios Stephanos beach you follow the main asphalted road towards Dryopida. After 400 m you turn right and follow the farm track (signposted). After 100 m you turn right (northwards) and follow the mule track going uphill. It is marked with a red/white sign but is easily missed. Climb up, turn left, and pass the small church of Aghios Nikolaos along the mule track. Continue round the bend for 380 m and to a fiddly bit through a water course and oleander bushes, which is mostly marked.

Head towards the left and the bottom of the steep, wide steps up the face of the hill. Then keep climbing for 500 m. The path flattens out and there is a junction. To the right after 150 m is the church of Aghii Saranda. The trail goes straight on and then down under a big oak tree. The high-walled path turns left. After 20 m this trail goes right, up over a hill and then down a rocky bit towards the main Dryopida-Hora road and a traditional Cycladic pigeon house.

Η διαδρομή αυτή περιγράφεται με αντίθετη φορά, από τον Άγιο Στέφανο προς τη Χώρα, γιατί μπορεί να αποτελέσει συνέχεια (διαδρομή επιστροφής) της Διαδρομής 4 (Χώρα – Άγιος Ιωάννης). Η ταβέρνα «Καντρής» στον Άγιο Στέφανο, 150 μέτρα πίσω από την παραλία, είναι ένα σημείο που αξίζει να σταματήσετε για φαγητό.

Από τη δυτική άκρη της παραλίας του Αγίου Στεφάνου, ακολουθείτε τον κεντρικό ασφαλτοστρωμένο δρόμο βορειοδυτικά προς Δρυοπίδα. Μετά από 400 μ. αφήνετε τον ασφαλτοστρωμένο δρόμο και στρίβετε δεξιά στο χωματόδρομο (υπάρχει σήμανση), τον ακολουθείτε για περίπου 100 μ., και στρίβετε δεξιά (βόρεια) στο μονοπάτι (υπάρχει σήμανση, αλλά δεν είναι ευδιάκριτη). Ανηφορίστε στην πλαγιά, στρίψτε αριστερά και προσπεράστε το ξωκλήσι του Αγίου Νικολάου που βρίσκεται δίπλα στο μονοπάτι. Συνεχίζετε το μονοπάτι για 380 μ. και διασχίστε τη ρεματιά ανάμεσα απ' τις πικροδάφνες (υπάρχει σήμανση).

Κατευθυνθείτε προς τα αριστερά και ανεβείτε τα πέτρινα σκαλιά. Συνεχίστε την ανάβαση για 500 μ. όπου από εκεί το μονοπάτι γίνεται πιο βατό και υπάρχει μία συμβολή όπου προχωράτε ευθεία προς τη μεγάλη βελανιδιά, ενώ στα δεξιά σας, σε απόσταση 150 μ. βρίσκεται το ξωκλήσι των Αγίων Σαράντα. Το μονοπάτι στρίβει αριστερά και μετά από 20 μ. συνεχίζει ανηφορικά δεξιά. Στη συνέχεια, αγνοήστε τις υπόλοιπες διασταυρώσεις με δευτερεύοντα μονοπάτια και κατηφορίστε προς τον κεντρικό δρόμο Δρυοπίδας – Χώρας κοντά στον παραδοσιακό περιστεριώνα.

Περιστεριώνας στην περιοχή του Αγίου Ιωάννη Προδρόμου
Traditional pigeon house close to Aghios Ioannis Prodromos church

Παλιό πέτρινο πηγάδι, στο μονοπάτι που ανηφορίζει από τον Άγιο Στέφανο
Old stone-built well, next to the trail, uphill from Aghios Stephanos

Προχωρήστε για 40 μ. στον κεντρικό δρόμο και στρίψτε δεξιά στο μονοπάτι προς Χώρα, που ναι μεν έχει σήμανση, αλλά καλύπτεται από πυκνή βλάστηση. Εκεί ίσως συναντήσετε εμπόδια. Εάν δεν μπορείτε να τα προσπελάσετε, μπορείτε να τα παρακάμψετε περπατώντας για λίγα μέτρα στο γειτονικό χωράφι. Εκεί ολοκληρώνεται η τελευταία και σύντομη ανάβαση, καθώς αυτός είναι ο τελευταίος λόφος αυτής της διαδρομής. Από εκεί και πέρα το μονοπάτι είναι επίπεδο και κατευθύνεται προς Χώρα, διασχίζοντας τους αγρούς ανάμεσα σε ξερολιθιές. Καταλήγετε στον τσιμεντόδρομο μεταξύ Παναγίας του Νίκους και Χώρας, κάτι που είναι χρήσιμο να γνωρίζετε όταν

Go on the road for 40 m then up right on the path to Hora, which is marked but not always properly maintained. The path gets overgrown and a wire mesh may block the way. Press on. Or, if the path is blocked, detour into a neighbouring field for a few metres. Continue above the farm land before going left up a short climb and the last hill is completed. The path is flat across the fields to Hora between various walls.

You come out along the path between Hora and Panaghia tou Nikous (see Trail 4), which is useful to know when you do the walk in the other direction. Left to Hora.

Alternatively, this trail can link up to Trail 6B to Diassela and from there to Trail 6A to Vryokastro, the ancient city, making it a path from the east of the island all the way to the west coast. To do this, come down from the big oak tree (mentioned before), and turn left. After 300 m the mule track meets the Dryopida-Hora road. Walk for 400 m on the road towards Hora, to the right, until the church of Aghios Trifonas. Trail 6B starts on the farm track at the side of this church.

Μαντρί στη ρεματιά του Γαλιού / Farmhouse in Galios valley

κάνετε την αντίστροφη διαδρομή. Για τη Χώρα, στρίψτε αριστερά.

Εναλλακτικά, η Διαδρομή 5 συνδέεται με τη Διαδρομή 6Β προς Διασέλλα και από εκεί μέσω της Διαδρομής 6Α προς την αρχαία πόλη στο λόφο του Βρυοκάστρου. Έτσι αυτό το μονοπάτι συνδέει την ανατολική πλευρά του νησιού με τη δυτική ακτή του. Μετά τη μεγάλη βελανιδιά, κατεβείτε προς το μικρό κάμπο, και στρίψτε αριστερά. Μετά από 300 μ. το μονοπάτι συναντά τον κεντρικό δρόμο Δρυοπίδας – Χώρας. Στρίψτε δεξιά προς Χώρα για ακόμα 420 μ. μέχρι την εκκλησία του Αγίου Τρύφωνα. Η Διαδρομή 6β αρχίζει στο χωματόδρομο δίπλα από αυτή την εκκλησία.

Ο Άγιος Ιωάννης Πρόδρομος και στο βάθος αριστερά η Παναγία του Νίκους
The church of Aghios Ioannis Prodromos; Panaghia tou Nikous on the left in the distance

ΔΙΑΔΡΟΜΗ | TRAIL

Επισκοπή – Βρυόκαστρο (αρχαία πόλη) – Απόκρουση

Episkopi – Vryokastro (ancient city) – Apokrousi

Απόσταση:	2.8 χλμ.
Χρόνος πορείας:	1ω
Επιστροφή:	Με τα πόδια ή με ταξί απ' τις παραλίες
Υψομετρική διαφορά:	140 μ. – επίπεδο θάλασσας
Αξιοθέατα:	Παραλίες, ταβέρνες, αρχαιολογικός χώρος, εκκλησίες
Δυσκολία:	Μέτρια
Σήμανση:	Ναι, στην αρχή

Distance:	2.8 km
Walking time:	1h
Getting back:	Walk back or taxi from the beaches
Difference in altitude:	sea level – 140 m – sea level
Key attractions:	Choice of sandy beaches with taverna; pre-Christ archeological site
Difficulty:	Moderate; some scrambling, walls to climb
Signposting:	Poor

6A

■ ΧΑΡΤΗΣ ΔΙΑΔΡΟΜΗΣ | TRAIL MAP 6A

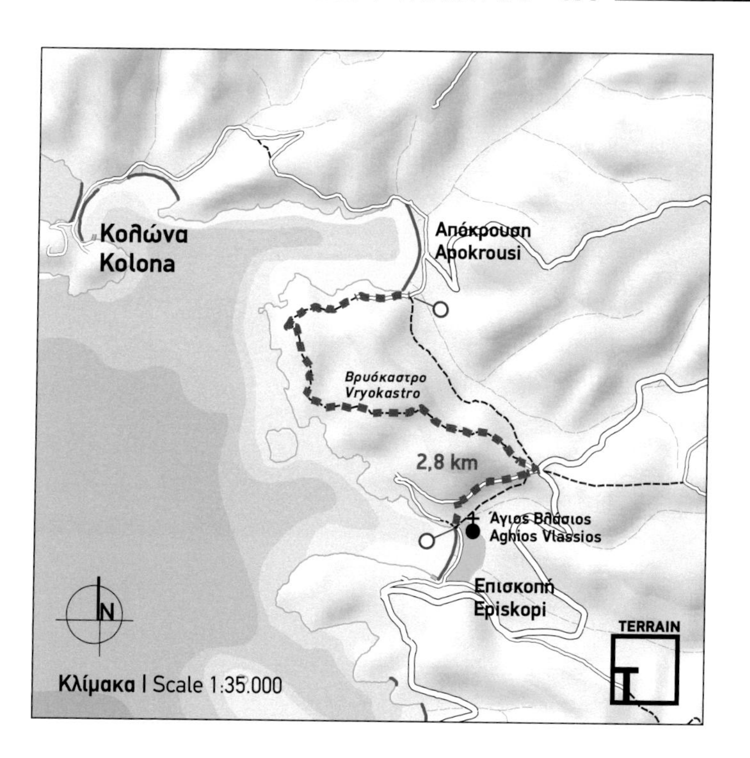

Τα ιερά της αρχαίας πόλης / *Foundations of the temple in the ancient city*

There are several routes between Episkopi and Apokrousi beaches and across the Vryokastro hill where an ancient city and harbour stood from the beginning of the millennium before Christ and was abandoned in the 6th or 7th century after Christ. We do not recommend walking the route close to the sea because of drops, difficult terrain, and the lack of signs.

From the north end of Episkopi beach, walk up the steps from the right side of Aghios Vlassios church, to the track that serves the houses on the north side of the bay. Take the track inland (eastwards) to the main road. This junction is called Diassela and was where a network of old mule tracks met and some still do.

At Diassela, the trail to the ancient city of Vryokastro is marked and this mule track goes up the hill in a seaward direction. Keep to this track around the first hill and onto the second. The track rises before this second hill and then turns to the left. From here is it is possible to go round the hill (the ancient acropolis) and scramble to the upper part of the ancient town where some sanctuaries and public buildings were situated.

Υπάρχουν πολλές διαδρομές μεταξύ Επισκοπής, Απόκρουσης και γύρω από το Βρυόκαστρο, την αρχαία πρωτεύουσα-λιμάνι της πρώτης χιλιετίας π.Χ., που εγκαταλείφθηκε τον 7ο – 6ο αιώνα μ.Χ. Δεν σας συνιστούμε να περπατάτε πολύ κοντά στην άκρη της θάλασσας, λόγω κατολισθίσεων και έλλειψης σήμανσης.

Από τη Βόρεια άκρη της παραλίας της Επισκοπής ανεβείτε τα σκαλοπάτια στα δεξιά της εκκλησίας του Αγίου Βλάση προς το μονοπάτι που εξυπηρετεί τα σπίτια στην Βόρεια πλευρά του όρμου. Μόλις βγείτε στον χωματόδρομο, ακολουθήστε τον προς τα ανατολικά, μέχρι να φτάσετε στον κεντρικό ασφαλτόδρομο Μέριχα-Χώρας, στην περιοχή που ονομάζεται Διασέλλα, στο σημείο όπου διασταυρώνονται πολλοί δρόμοι και μονοπάτια.

Στην Διασέλλα θα δείτε τη σήμανση της αρχής του μονοπατιού προς τον αρχαιολογικό χώρο του Βρυοκάστρου. Ακολουθήστε το καθώς προχωράτε παράλληλα προς τη θάλασσα περνώντας δύο λόφους. Το μονοπάτι ανηφορίζει πριν τον δεύτερο λόφο και στρίβει αριστερά. Από εκεί μπορείτε να κάνετε τον γύρο του λόφου (αρχαία ακρόπολη) και να εξερευνήσετε το ψηλότερο μέρος της αρχαίας πόλης όπου υπήρχαν ιερά και δημόσια κτίρια.

Βέβαια για λόγους ασφαλείας, το Υπουργείο Πολιτισμού δεν επιτρέπει την ελεύθερη πρόσβαση στον χώρο των ανασκαφών, παρά μόνο με τη συνοδεία μέλους της ανασκαφικής ομάδας που διευθύνει ο καθηγητής

Τμήμα του τείχους της αρχαίας πόλης / *Section of the walls of the ancient city*

αρχαιολογίας του Πανεπιστημίου Θεσσαλίας, Αλέξανδρος Μαζαράκης και η Έφορος αρχαιοτήτων κ. Ραφαέλα Βασάλου.

Η Κύθνος έπαιξε ένα σημαντικό ρόλο στην οικονομία της αρχαίας Ελλάδας, ως λιμενικός σταθμός στο εμπόριο μεταξύ Ευρώπης και Ασίας. Η οικονομία του νησιού ήταν τόσο ανεπτυγμένη που υπήρχαν οι πόροι ώστε οι Κύθνιοι να στείλουν πολεμικά πλοία στη ναυμαχία της Σαλαμίνας το 480 π.Χ. Ο Αριστοτέλης επικροτούσε το δημοκρατικό πολίτευμα της Κύθνου στο έργο του «Κυθνίων Πολιτεία». Το ιερό και το δημόσιο κτίριο που έχουν ανασκαφεί, επιβλέπουν τον όρμο της Απόκρουσης και την Κολώνα.

Για να βρείτε το μονοπάτι που καταλήγει στην Απόκρουση, κατευθυνθείτε για 300 μ. προς τη θάλασσα και προς τα βόρεια του αρχαίου λιμανιού. Αυτή η διασύνδεση είναι ελαφρώς δύσκολη καθώς χρειάζεται να υπερπηδήσετε αρκετά εμπόδια. Η διαδρομή είναι δύσκολη μεν, αλλά εφικτή.

Το τελευταίο σκέλος του μονοπατιού προς Απόκρουση είναι ομαλό και περνάει μπροστά από σπίτια και μία ταβέρνα. Εκεί, από το καλοκαίρι του 2014, λειτουργεί και ένα beach bar.

Για να επιστρέψετε από την Απόκρουση στη Διασέλλα (σύνδεση με Διαδρομή 6β, αντίστροφα), ακολουθήστε το χωματόδρομο στη νότια άκρη της παραλίας, ο οποίος μετά από λίγο γίνεται μονοπάτι που διασχίζει καλλιεργημένα κτήματα και καταλήγει στη Διασέλλα.

Η παραλία της Απόκρουσης / *Apokrousi beach*

However, the site of the ongoing excavations is currently off-limits because of Ministry of Culture protection and access is only possible with guiding either by a member of the excavation team led by Professor Alexander Mazarakis from the University of Thessaly or the Guardian of Antiquities from the ministry, Mrs Rafaela Vassalou.

Η παραλία της Επισκοπής / Episkopi beach

Kythnos played an important economic role in ancient Greece as a maritime staging post for trade between Europe and Asia. The island economy was sufficiently developed for the island to send its own battle ships for the naval combat in 480 BC at Salamis, an island near the Athenian port of Piraeus, where the Persian navy was defeated. Aristotle lauded Kythnos's democratic system. An excavated sanctuary and an ancient public building overlook the bay of Apokrousi and have a view towards Kolona beach.

For the trail to Apokrousi, aim seaward for 300 m to the north of the ancient harbour. This link-up involves some scrambling between gaps in walls on terraces. Over this wall and after 20 m the mule track around to Apokrousi starts. Not easy but do-able.

The walk around to Apokrousi beach is straightforward and goes past houses and a restaurant. The Coconuts beach bar opened in summer 2014.

To return from Apokrousi to Diassela, take the other track from the south end of the beach, which later joins a mule track, and runs up a valley, passing cultivation.

ΔΙΑΔΡΟΜΗ | TRAIL

6B

Άγιος Τρύφωνας – Διασέλλα – Απόκρουση – Κολώνα

Aghios Tryfonas – Diassela – Apokrousi – Kolona

Απόσταση:	6,7 χλμ.
Χρόνος πορείας:	2ω 15'
Επιστροφή:	Ταξί προς Άγιο Τρύφωνα, θαλάσσιο ταξί από Κολώνα.
Υψομετρική διαφορά:	200 μ. – επίπεδο θάλασσας – 65 μ. – επίπεδο θάλασσας
Αξιοθέατα:	Αγροί, εκκλησία, αγροτόσπιτα και εγκαταστάσεις, θέα προς θάλασσα, γραφική παραλία
Δυσκολία:	Μέτρια, βραχώδης κατάβαση προς Διασέλλα
Σήμανση:	Όχι (μόνο στην αρχή)

Distance:	6.7 km
Walking time:	2h 15'
Getting back:	Taxi to Aghios Tryfonas start; sea taxi from Kolona at the end of trail
Difference in altitude:	200 m – sea level – 65 m – sea level
Key attractions:	Farmland, church, smallholding; sea views, iconic beach
Difficulty:	Moderate; rocky descent to Diassela
Signposting:	Poor

6B

ΧΑΡΤΗΣ ΔΙΑΔΡΟΜΗΣ | TRAIL MAP 6B

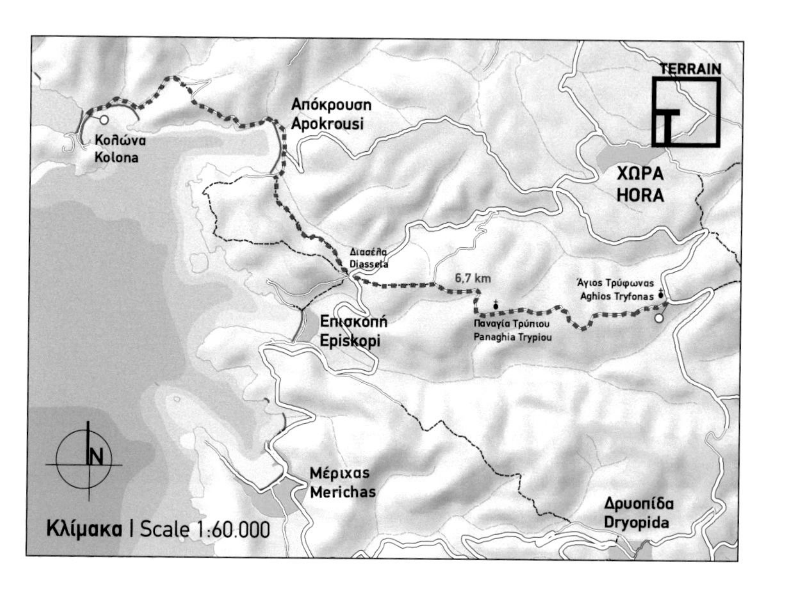

Η Παναγία του Τρύπιου / *Panagia Trypiou church*

Το μονοπάτι από Παναγία του Τρύπιου προς Διασέλλα
The trail from Panaghia Trypiou to Diassela

Αξίζει να ξεκινήσετε αυτή τη διαδρομή από τη Χώρα, ακολουθώντας το πρώτο μέρος της διαδρομής προς Άγιο Στέφανο (Διαδρομή 5). Φεύγετε από τη Χώρα και πηγαίνετε προς Παναγία του Νίκους, στρίβετε δεξιά στο σηματοδοτημένο μονοπάτι προς Άγιο Στέφανο, κατηφορίζετε ως τον κεντρικό δρόμο, περνάτε απέναντι, ανηφορίζετε στο σηματοδοτημένο μονοπάτι προς Άγιο Στέφανο, και μόλις φτάσετε στο μικρό κάμπο πριν τη μεγάλη βελανιδιά, στρίψτε δεξιά στο μονοπάτι προς τον κεντρικό δρόμο Δρυοπίδας – Χώρας. Μόλις τον συναντήσετε, στρίψτε δεξιά και κατευθυνθείτε προς Χώρα για ακόμα 400 μ. μέχρι την εκκλησία του Αγίου Τρύφωνα. Η διαδρομή ξεκινάει από το χωματόδρομο αριστερά της εκκλησίας.

Είναι μία πολύ ξεκάθαρη διαδρομή που προσφέρει συνεχώς συνέχεια θέα προς τη Χώρα στα δεξιά σας, και στο βάθος στα αριστερά, στους ανεμόμυλους πάνω από τη Δρυοπίδα. Προχωρήστε ευθεία (δυτικά) αγνοώντας τις διασταυρώσεις με άλλους χωματόδρομους και μονοπάτια που συναντάτε. Συνεχίστε στον χωματόδρομο και αγνοήστε το μονοπάτι που θα συναντήσετε σε κάποιο σημείο στα αριστερά σας, το οποίο προχωράει παράλληλα και ακριβώς δίπλα στο χωματόδρομο (είναι πνιγμένο στα αγριόχορτα). Προσπεράστε μερικές αγροικίες, κυψέλες και την Παναγία του Τρύπιου. Συνεχίστε στον χωματόδρομο, ο οποίος περνάει δίπλα από μια αγροικία με ζώα, δέντρα και ένα μποστάνι.

Στα 400 μ. από την αγροικία με το μποστάνι, ακριβώς στη γωνία όπου ο χωματόδρομος στρίβει βόρεια, αφήνετε το δρόμο και μπαίνετε στο μονοπάτι που κατηφορίζει προς τα δυτικά. Στην αρχή είναι καθαρό και βατό, αλλά

This route can be started in Hora, following the first part of the walk for Aghios Stephanos (see Trail 5). In the dell before the big oak tree turn right down the mule track to the main Hora-Dryopida road. Once on the road, turn right and walk up in the Hora direction for 400 m to find the Aghios Trifonas church and the start of this trail on the farm track at the left of the church.

Very straightforward walk as track goes up and down and round with views of Hora to the right and further away on the left the windmills above Dryopida. Keep going straight (westwards) wherever there is a junction. Stick to the farm track, ignore a mule track on the left. Pass some animal houses, bee hives, and a church, Panaghia Trypiou. Follow the track around to a smallholding with various animals, vegetables, trees, and a beaten up vehicle.

After 400 m from the smallholding, the farm track takes a sharp right turn northwards, while our trail heads westwards onto a mule track all the way to Diassela. It gets steeper and later turns right down to the main

Το μονοπάτι δίπλα στην Παναγία του Τρύπιου
The trail near Panaghia Trypiou

παρακάτω γίνεται πιο δύσβατο και αργότερα κατηφορίζει με πέτρινα σκαλοπάτια προς τον κεντρικό δρόμο Μέριχα-Χώρας. Βλέπετε καθαρά την παραλία της Επισκοπής στα αριστερά σας, το λόφο του Βρυόκαστρου όπου ήταν χτισμένη η αρχαία πόλη, και την παραλία της Απόκρουσης στα δεξιά στην άκρη του κάμπου.

Διασταυρώστε τον κεντρικό δρόμο και αντί να κατευθυνθείτε προς Βρυόκαστρο (διαδρομή 6Α), ακολουθήστε το μονοπάτι που βρίσκεται πιο δεξιά και αποτελεί μία εύκολη διαδρομή που διασχίζει την άκρη του κάμπου με τους καλλιεργημένους αγρούς και τα αιγοπρόβατα και καταλήγει στην παραλία της Απόκρουσης.

Το μονοπάτι προχωράει ανάμεσα στις παλιές ξερολιθιές.
The trail is enclosed within old stone walls

Διασχίστε την παραλία ως την άλλη άκρη και ακολουθήστε το χωματόδρομο προς Κολώνα. Ο χωματόδρομος διατρέχει λόφους και μπορείτε να αποφύγετε τη μεγάλη στροφή του, με παράκαμψη από ένα μικρό μονοπάτι. Η πρώτη παραλία, η Φυκιάδα δεν είναι τόσο δημοφιλής όσο η Κολώνα που προσελκύει γιωτ, ιστιοπλοϊκά και διάφορα σκάφη που αγκυροβολούν και από τις δύο πλευρές της. Είναι μια παραλία μοναδικής ομορφιάς, που εντυπωσιάζει καθώς αποτελείται από μία λωρίδα άμμου, που συνδέει την Κύθνο με το νησάκι του Αγίου Λουκά και την ομώνυμη εκκλησία του.

Στη λωρίδα της άμμου υπάρχουν δυο-τρία αρμυρίκια και μία ταβέρνα από την πλευρά της Κύθνου.

Merichas-Hora road on stone steps. There is a clear view of Episkopi beach on the left, the Vryokastro, the ancient capital hills in the middle, and Apokrousi beach on the right down the valley.

Cross the road and instead of the route to Vryokastro (see Trail 6A) go to the mule track down slightly to the right and it is an easy walk along the side of the valley past cultivation and animals to Apokrousi beach.

Walk to the other end of the beach for the farm track over to Kolona beach, the iconic strip of sand between the mainland and the island with the Aghios Loukas church on it. The farm track is hilly and the corner can be cut taking a mule track. The first beach, Fukiada, is less popular than Kolona which attracts yachts and motor cruisers on both sides of the strip.

There are two or three small trees on the strip itself and a restaurant on the mainland side.

Το αρχαίο λιμάνι στο Βρυόκαστρο / *The port of the ancient city at Vryokastro*

ΔΙΑΔΡΟΜΗ | TRAIL 7

Δρυοπίδα – Κουρί – Ζογκάκι

Dryopida – Kouri – Zogaki

Απόσταση:	3 χλμ.
Χρόνος πορείας:	1ω 10'
Επιστροφή:	Από το ίδιο μονοπάτι, περπατώντας στο δρόμο, ταξί
Υψομετρική διαφορά:	190 μ. – 220 μ. – επίπεδο θάλασσας
Αξιοθέατα:	Θέα προς τη θάλασσα, τρεις όμορφες παραλίες
Δυσκολία:	Μέτρια, χαλαρές πέτρες σε μερικά σημεία του μονοπατιού, βλάστηση την άνοιξη
Σήμανση:	Όχι

Distance:	3.0 km
Walking time:	1h 10'
Getting back:	Walk back on trail, road, or get taxi
Difference in altitude:	190 m – 220 m – sea level
Key attractions:	Sea views; three fine beaches
Difficulty:	Moderate: rocky stone mule tracks, some overgrowth in spring
Signposting:	None

ΧΑΡΤΗΣ ΔΙΑΔΡΟΜΗΣ | TRAIL MAP 7

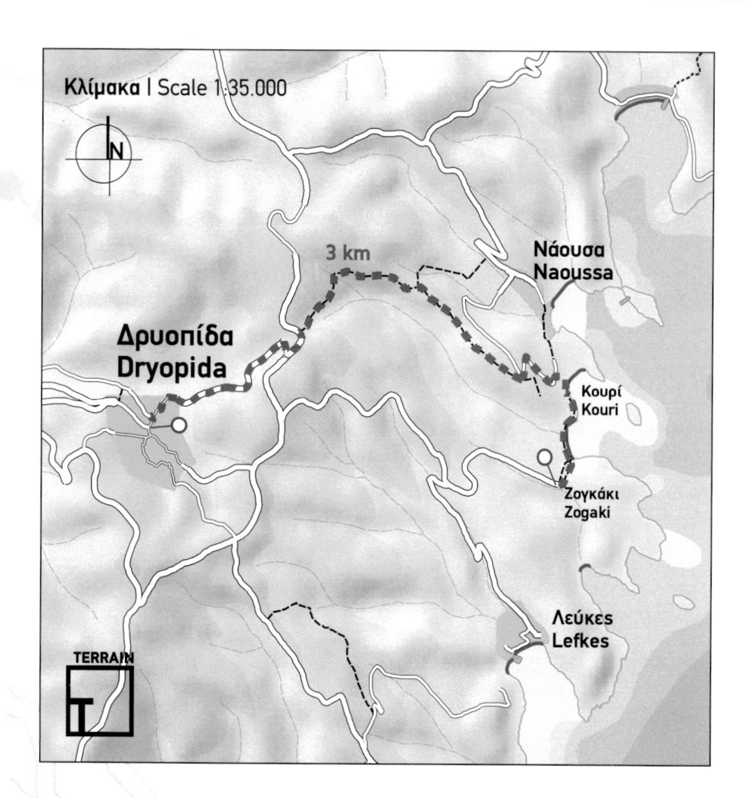

Το μονοπάτι που κατηφορίζει από Δρυοπίδα προς Ζογκάκι.
The trail leading from Dryopida to Zogaki.

Η διαδρομή ξεκινά από τη Δρυοπίδα (Καινούριος Δρόμος) και περνάει από τη συνοικία του Γαλατά, για την οποία υπάρχει σήμανση στην είσοδο του οικισμού. Κατεβείτε τα σκαλιά προς Γαλατά και ανεβείτε τα σκαλιά προς Άγιο Μηνά. Ακολουθήστε το χωματόδρομο που διασχίζει τα αγροκτήματα, από το μικρό πάρκινγκ του Γαλατά, και βγείτε στον κεντρικό δρόμο Δρυοπίδας-Χώρας. Στρίψτε αριστερά (βόρεια) προς Χώρα, αγνοείστε το πρώτο (και πιο ευδιάκριτο) μονοπάτι που θα δείτε δεξιά σας στα 100 μ. και συνεχίστε βόρεια

Σε κάποια σημεία του μονοπατιού διασώζεται το παλιό λιθόστρωτο.
Many sections of the trail are still covered with the old stone paving.

στον κεντρικό δρόμο για άλλα 40 μέτρα, όπου θα αναζητήσετε την όχι και τόσο ευδιάκριτη αρχή του μονοπατιού της διαδρομής μας. Η διαδρομή είναι κατηφορική και το βραχώδες μονοπάτι κατευθύνεται ανατολικά προς τη θάλασσα.

Κατά την κατάβαση σας, προσπερνάτε τα πέτρινα κτίσματα από τα αριστερά. Εκεί υπάρχουν απότομα βραχώδη σκαλοπάτια σε ζιγκ-ζάγκ και πιο μετά το έδαφος γίνεται επίπεδο. Μετά τη δεξαμενή, σε απόσταση 80 μ. θα συναντήσετε αριστερά ένα άλλο μονοπάτι, το οποίο οδηγεί στην παραλία της Νάουσσας.

The route out of Dryopida is via the Galatas part of the town, which is marked from the bus stop square (the New Road). Turn left down the steps to Galatas and up the other side to Aghios Minas. Walk by fields up the valley on the partly made-up lane from the small parking at the back of Galatas. At the T-junction turn right then left for about 150 m to the curve in the asphalt road to Hora. Ignore the first track on the right as you arrive at the bend. Instead continue for 40 m and the trail goes immediately down seaward onto a rocky mule track.

Steadily descend along the wide valley past oleander in the valley which starts blooming in May/June. The path curves to the left, then right, past stone buildings up on the left. Keep on the same track and head towards the sea. There are some stony zig zag steps where it gets steeper then it is flat. About 80 m after a water storage building on the left there is a junction. The left track goes to Naoussa beach.

Εγκαταλειμμένες πεζούλες αυλακώνουν όλες τις λοφοπλαγιές.
Countless kilometers of old stone walls run through the terraced slopes of the island.

Η παραλία Κουρί / Kouri beach

Τμήμα της διαδρομής, κοντά στη δεξαμενή
Section of the trail; water storage building in the distance (right photo)

Συνεχίζοντας ευθεία (ανατολικά), το μονοπάτι κατηφορίζει προς την παραλία Κουρί και την παραλία Ζογκάκι. Εγκαταλείψτε το μονοπάτι λίγο πριν το τέλος του, 150 μ. από τη θάλασσα, και ακολουθήστε τον χωματόδρομο στα αριστερά που καταλήγει πίσω από τα μπάνγκαλοου και το σνάκ μπαρ στο Κουρί. Για να πάτε στο Ζογκάκι, ακολουθήστε το μονοπάτι που ξεκινάει από τη νότια άκρη της παραλίας Κουρί και προχωράει δίπλα στη θάλασσα. Στη νότια άκρη της παραλίας Ζογκάκι, τα σκαλιά οδηγούν σ' ένα πάρκινγκ στο τέλος ενός δρόμου.

Για τη Νάουσσα, στρίψτε αριστερά πίσω από τα μπάνγκαλοους στο Κουρί και διασχίστε για λίγο έναν αγρό με κατεύθυνση προς την επόμενη παραλία

The straight-on route leads to Kouri beach and Zogaki beach. Get off the mule track just before it ends 150 m from the sea and take the dirt track on the left, which goes down to behind a bungalow complex and snack bar on Kouri. For Zogaki, walk along Kouri beach to the south end and then on the trail along the coastline. At the far end of Zogaki a long flight of stairs goes up to a small parking and an asphalt road.

For Naoussa, turn left after going behind the Kouri bungalow complex and cross a brief piece of field aiming for the next beach about 100 m away.

To return to Dryopida, walk from Naoussa beach up the steps to a parking and concrete road. The path starts 80 m on the left after the junction left to houses. It goes down and then up the other side of the valley. Turn right at a small house and walk under a cypress, olive, fig and oleander before steep steps to the junction near the water storage building, which you passed on your way down from Dryopida.

Η Νάουσα / *The village of Naoussa*

Το εκκλησάκι του Αγίου Ιωάννη του Ελεήμονα, στη Νάουσα
The church of Aghios Ioannis Eleimon, in Naoussa

που βρίσκεται σε απόσταση περίπου 100 μ.

Για να επιστρέψετε στη Δρυοπίδα, ανεβείτε τα σκαλιά από την παραλία της Νάουσσας που καταλήγουν σε ένα πάρκινγκ στο τέλος ενός τσιμεντένιου δρόμου. Το μονοπάτι ξεκινά στα αριστερά, 80 μ. μετά τη συμβολή αριστερά προς τα σπίτια. Κατηφορίζει στην αρχή, και μετά ανηφορίζει στην άλλη πλευρά της κοιλάδας. Στρίβετε δεξιά στο μικρό σπίτι, περνάτε κάτω απ' το κυπαρίσσι, την ελιά, τη συκιά και τις πικροδάφνες και θα βρεθείτε μπροστά απ' τα απότομα σκαλοπάτια στη διασταύρωση που συναντήσατε όταν κατεβαίνατε από Δρυοπίδα.

ΔΙΑΔΡΟΜΗ | TRAIL 8

**Δρυοπίδα –
Πετροβούνι – Επισκοπή**

Dryopida –
Petrovouni – Episkopi

Απόσταση:	3.8 χλμ.
Χρόνος πορείας:	1ω 20'
Επιστροφή:	Ταξί, λεωφορείο, σύντομη διαδρομή με τα πόδια προς Μέριχα
Υψομετρική διαφορά:	190 μ. – 215 μ. – επίπεδο θάλασσας
Αξιοθέατα:	Αγροκτήματα, πηγές, παραλία, μπαρ, ταβέρνα, ξωκλήσι, σύνδεση με Διαδρομή 6Α
Δυσκολία:	Μέτρια, το πρώτο μέρος είναι ελαφρώς δύσκολο πετρώδες μονοπάτι, εύκολη κατάβαση προς παραλία
Σήμανση:	Όχι

Distance:	3.8 km
Walking time:	1h 20'
Getting back:	Taxi, bus, or short walk on road to Merichas
Difference in altitude:	190 m – 215 m – sea level
Key attractions:	Farmlands; beach, bar, tavern; link to Trail 6A
Difficulty:	Moderate; first part is awkward climb up rocky mule track; down to beach is easy
Signposting:	None

■ ΧΑΡΤΗΣ ΔΙΑΔΡΟΜΗΣ | TRAIL MAP 8

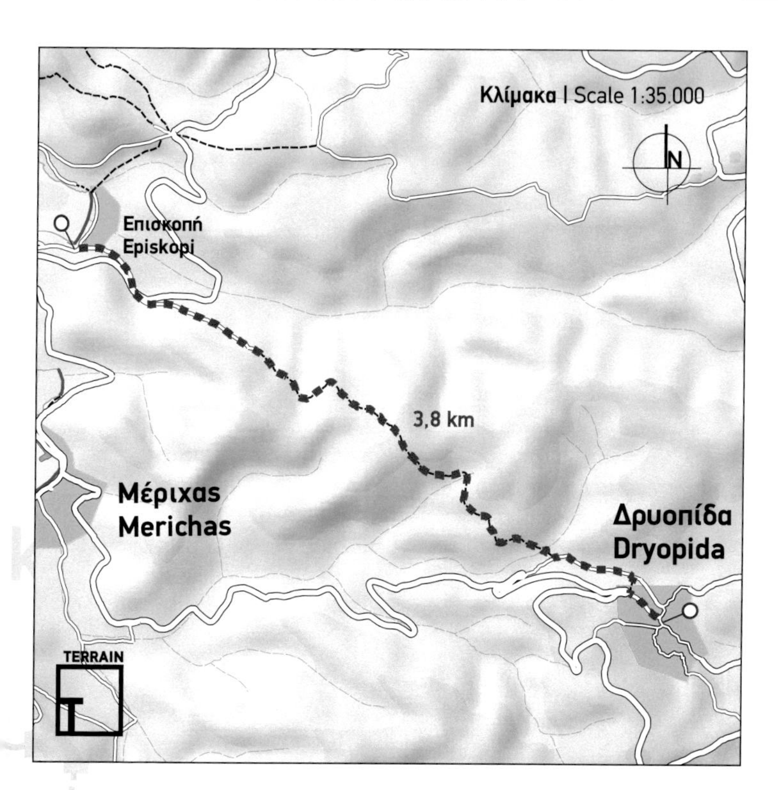

Η Δρυοπίδα και η Κατώβρυση, στην αφετηρία της διαδρομής
Dryopida and the Katovrysi water source near the start of the trail

Η διαδρομή ξεκινά από τη Δρυοπίδα (Καινούριος Δρόμος), με κατεύθυνση προς την έξοδο του οικισμού προς Μέριχα/Κανάλα. Σε περίπου 100 μ., στρίψτε δεξιά (πριν το γραφείο της Κοινότητας) και κατεβείτε τα σκαλιά και τον τσιμεντοστρωμένο δρόμο προς το ρέμα. Το πρώτο ενδιαφέρον σημείο που συναντάτε είναι η παλιά κρήνη της Κατώβρυσης, χτισμένη το 1880. Μόλις φτάσετε στο ρέμα (που έχει μετατραπεί σε δρόμο, αλλά όποτε βρέχει ξαναγίνεται χείμαρρος) στρίψτε αριστερά. Τα γύρω αγροκτήματα είναι γεμάτα με πορτοκαλιές, λεμονιές, συκιές, ευκάλυπτους και κυπαρίσσια.

Τμήμα της διαδρομής, στο Πετροβούνι / The section of the trail on Petrovouni

Προχωρήστε 500 μ. μέχρι να συναντήσετε την τσιμεντένια δεξαμενή νερού στα δεξιά σας. Ακριβώς πριν τη δεξαμενή στρίψτε στο ανηφορικό μονοπάτι στα δεξιά σας που συνήθως είναι καλυμμένο με βλάστηση. Παρόλα αυτά η διαδρομή είναι σαφής καθώς το μονοπάτι κινείται ανάμεσα στα αγροκτήματα.

Σιγά σιγά η Δρυοπίδα και η κεντρική της εκκλησία, η Αγία Άννα, χάνονται από το οπτικό πεδίο πίσω σας, και το μονοπάτι διασχίζει ένα ανοιχτό τοπίο, συχνά εκτεθειμένο στους ανέμους. Πίσω από την κορυφογραμμή

The path starts from the bus stop square (the New Road) in Dryopida. Walk out of the town on the road for 100 m. Turn right down the steps to the right of the municipal building (ΚΟΙΝΟΤΗΤΑ ΔΡΥΟΠΙΔΑΣ). The steps cross a track by the Katovrisi water source, built in 1880, where residents collected water in the past, before reaching the valley bottom. Turn left on the mostly concreted track where water often flows. The valley boasts orange, lemon, fig, eucalyptus and cypress trees.

Walk along the valley bottom until you reach water station buildings on the right and often a road tanker. Just before the building, turn right up the hill on a mule track. This track is awkward and often covered by undergrowth. However, the direction is fairly clear as the track winds around fields through a couple of small valleys.

Slowly Dryopida and its main church Aghia Anna disappear from the view back and the track heads into often windy, open countryside. Over

Θέα προς το ρέμα της Επισκοπής, από το Πετροβούνι
View towards Episkopi valley, from the slopes of Petrovouni

Θεά προς την Επισκοπή, από το Πετροβούνι
View towards Episkopi beach, from the slopes of Petrovouni

του λόφου Πετροβούνι, προς τα βορειοδυτικά, φαίνεται η παραλία της Επισκοπής που είναι ο τελικός προορισμός αυτής της διαδρομής.

Το μονοπάτι συνεχίζει να κατηφορίζει στη λοφοπλαγιά, μέχρι που καταλήγει σε έναν χωματόδρομο. Συνεχίζετε κατηφορίζετε στον χωματόδρομο, πάντα με κατεύθυνση βορειοανατολικά.

Αν σας ενδιαφέρει μια μικρή παράκαμψη, περίπου 300 μ. μετά τη συμβολή χωματόδρομου/μονοπατιού και πριν φτάσετε στην είσοδο του άσπρου σπιτιού, υπάρχει μία αριστερή ανηφορική στροφή σε έναν βραχώδη δρόμο, που προσπερνάει διάφορα σπίτια και μετά από μερικές στροφές κατηφορί-

the brow of the Petrovouni hill the beach of Episkopi comes into view a fair way down. The mule track continues down and around the left into the valley. It joins a farm track a few hundred metres down the hill.

About 300 m after the farm/mule track junction, and before reaching the drive to a white house, there is a left turn up a rocky road. This eventually goes past various houses and then after some turns down to the Martinakia beach, on the way to Merichas.

The straight-on route goes easily to the main Hora-Merichas road. Cross the road onto the track to Episkopi beach, one of the most popular on the island and one of the few with umbrellas and loungers. Tamarisk trees provide shade on much of the beach. A bar and taverna provide hospitality.

Episkopi beach is the starting point for Trail 6A to Apokrousi beach via the ancient city.

Ο Άγιος Αρτέμιος, στη Δρυοπίδα / *Aghios Artemios in Dryopida*

Η κτηνοτροφία ανθεί ακόμα στην Κύθνο. / Stock raising is still thriving in Kythnos.

ζει προς την παραλία Μαρτινάκια, στο δρόμο προς το Μέριχα. Συνεχίζοντας προς Επισκοπή, η κατάβαση είναι εύκολη και καταλήγει στον κεντρικό δρόμο Χώρας – Μέριχα. Διασχίστε τον κεντρικό δρόμο και ακολουθήστε τον τσιμεντοστρωμένο δρόμο προς την παραλία της Επισκοπής, μία από τις πιο δημοφιλείς του νησιού, η οποία διαθέτει ομπρέλες προς ενοικίαση. Τα αλμυρίκια δίνουν σκιά στους λουόμενους, και υπάρχει κι ένα μπαρ-ταβέρνα. Στη βόρεια πλευρά της παραλίας βρίσκεται το ξωκλήσι του Αγίου Βλασίου. Από την παραλία της Επισκοπής ξεκινάει η Διαδρομή 6Α προς Απόκρουση μέσω της αρχαίας πόλης του Βρυοκάστρου.

ΔΙΑΔΡΟΜΗ | TRAIL 9

Άγιος Κωνσταντίνος – Φλαμπούρια – Μέριχας

Aghios Konstantinos – Flambouria – Merichas

Απόσταση:	5.9 χλμ.
Χρόνος πορείας:	2ω
Επιστροφή:	Με τα πόδια ή με ταξί από τον Μέριχα ή τη Δρυοπίδα προς Άγιο Κωνσταντίνο
Υψομετρική διαφορά:	280 μ. – επίπεδο θάλασσας – 150 μ. – επίπεδο θάλασσας
Αξιοθέατα:	Χτιστό πέτρινο μονοπάτι της δεκαετίας του 1950, παραλία, τοποθεσία γάμων, ταβέρνα, κοσμοπολίτικη παραθαλάσσια πόλη.
Δυσκολία:	Μέτρια: τα σκαλοπάτια προς Φλαμπούρια τελειώνουν απότομα, πέρασμα από ρεματιά, ανηφορικό τμήμα έξω από τα Φλαμπούρια
Σήμανση:	Όχι

Distance:	5.9 km
Walking time:	2h
Getting back:	Walk/taxi from Merichas, or Dryopida, to Aghios Konstantinos
Difference in altitude:	280 m – sea level – 150 m – sea level
Key attractions:	1950s-built stone-stepped path; beach, wedding location, taverna; lively port town
Difficulty:	Moderate; steps to Flambouria peter out at bottom, scramble across water course; short steep bit out of Flambouria; then easy to Merichas
Signposting:	None

ΧΑΡΤΗΣ ΔΙΑΔΡΟΜΗΣ | TRAIL MAP 9

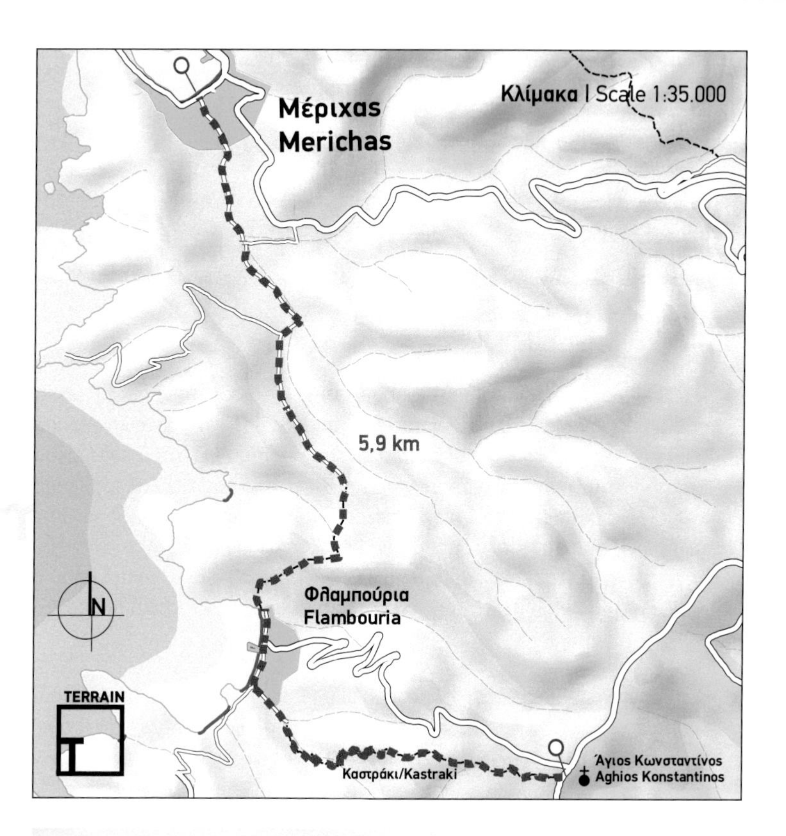

Τμήμα της διαδρομής Φλαμπούρια-Μέριχας
Section of the Flambouria-Merichas route

Στον Άγιο Κωνσταντίνο (την αφετηρία αυτής της διαδρομής) φτάνετε με τα πόδια από τον Μέριχα, αφήνοντας πίσω την πόλη από την πέτρινη γέφυρα στην παραλία, ακολουθώντας πρώτα τον τσιμεντοστρωμένο δρόμο ανάμεσα στα σπίτια, κάνοντας λίγο δεξιά και μετά ανηφορίζοντας τον καθαρά ορατό χωματόδρομο που γίνεται πιο επίπεδος κάτω απ' τις κεραίες της κινητής τηλεφωνίας και τον κύριο δρόμο Δρυοπίδας – Αγίου Δημήτριου.

Το μονοπάτι προς Φλαμπούρια ξεκινά περίπου 50 μ. νότια από το ξωκλήσι του Αγίου Κωνσταντίνου,και δυτικά από τον κεντρικό δρόμο. Το

Aghios Konstantinos can be reached on foot from Merichas by going out the back of the town from the pedestrian bridge by the beach, first on a concrete road, past houses, a kink to the right, and then left up a clearly visible farm track on the right side of the valley. The track rises steadily before flattening out at the top under the Cosmote and Vodafone mobile telephone antennae and the main Dryopida-Aghios Dimitrios road.

The trail to Flambouria starts about 50 m to the south of the Aghios Konstantinos church and to the west of the main road. This mule track winds through farmlands before heading more clearly towards the sea. A stone quarry and beehives feature on the hill nearby just beyond the asphalt road.

After some big lumps of rock the path goes through a little metal gate and well-cut, blue-grey stone steps begin at Kastraki. These steps zig zag down the hill in a very organised fashion even though they are slightly overgrown from their construction in the 1950s by Dryopida's President Stefanos Martinos.

Τμήμα της διαδρομής από το Καστράκι προς Φλαμπούρια
Part of the trail, from Kastraki area to Flambouria

Χαρακτηριστικό λιθόστρωτο τμήμα του μονοπατιού, στη θέση Καστράκι
Blue-grey paved stone steps in the Kastraki area

μονοπάτι διατρέχει τους αγρούς με κατεύθυνση δυτική, προς τη θάλασσα. Ένα λατομείο και κυψέλες μελισσιών βρίσκονται πάνω στο λόφο δίπλα στην άσφαλτο.

Μετά από μερικούς πέτρινους όγκους το μονοπάτι διασχίζει μία μικρή μεταλλική πόρτα. Εκεί ξεκινούν καλά διατηρημένα σκαλοπάτια που κατεβαίνουν σε ζιγκ-ζαγκ την πλαγιά με αρμονικό τρόπο, παρόλο που δεν έχουν συντηρηθεί ποτέ από την εποχή που κατασκευάστηκαν, τη δεκαετία του '50 από τον τότε πρόεδρο της Κοινότητας Δρυοπίδας Στέφανο Μαρτίνο.

Αριστερά: Ανθισμένα κρινάκια της άμμου, στα Φλαμπούρια
Left: Sea daffodil (krinakia) flowers

Δεξιά: Πηγή στη ρεματιά των Φλαμπουριών
Right: A water spring in Flambouria valley

Unfortunately the steps end 30 m before the bottom at the oleander-decked water course. This means a scramble down and across to the path to Flambouria beach and the sea. On the path stick to the right of the house with a big lawn and the path soon arrives at the Panaghia Flambouriani church on a small headland and a taverna.

Because of its idyllic position the church is used for weddings with bride and groom arriving and/or leaving by boat. The beach is well-endowed with tamarisk trees and sea daffodil (krinakia) flowers.

The trail to Merichas leaves on white-painted steps on the north end of the beach, wiggling around a couple of houses before going about 80 m up the face of a hill. Climb left over a rock outcrop and then right across the hill where the path continues. Stony steps between two walls rise to the brow of the hill.

At the top of the hill, take the straight-on path between two walls, which continues around a valley with views down to oleander and two houses on the small Pondikia beach. The path mostly stays at the same level, including

Δυστυχώς τα σκαλοπάτια τελειώνουν 30 μ. πριν τις πικροδάφνες του ρέματος. Αυτό σημαίνει μία κατάβαση μετ' εμποδίων προς τη θάλασσα. Στο μονοπάτι μείνετε στα δεξιά του σπιτιού με τη μεγάλη αυλή και σύντομα θα βρεθείτε στην Παναγιά Φλαμπουριανή και σε μία ταβέρνα.

Λόγω της ειδυλλιακής της τοποθεσίας, η εκκλησία αυτή χρησιμοποιείται για γαμήλιες τελετές με τον γαμπρό και την νύφη να έρχονται ή να φεύγουν με βάρκες. Η παραλία έχει πολλά αρμυρίκια και κρινάκια της θάλασσας (παγκράτιον). Στη βόρεια άκρη της παραλίας, τα ασβεστωμένα σκαλοπάτια που περνούν μπροστά από τα σπίτια, κατευθύνονται προς Μέριχα και ανεβαίνουν για 80 μ. το λόφο. Σκαρφαλώστε στα αριστερά του βραχώδους πρανούς και μετά διασχίστε το λόφο ευθεία, όπου το μονοπάτι συνεχίζει.

Τα πέτρινα σκαλοπάτια ανάμεσα στις ξερολιθιές, ανεβαίνουν στην κορυφή του λόφου. Ακολουθήστε το ευθύ μονοπάτι μεταξύ των δύο τοίχων, που συνεχίζει γύρω από μία κοιλάδα. Από εκεί έχετε θέα προς τα κάτω στις πικροδάφνες και σε μία μικρή παραλία, τα Ποντίκια. Το μονοπάτι συνεχίζει κυρίως στο ίδιο επίπεδο ακόμα και περνώντας από έναν μικρό βραχώδη προεξέχοντα όγκο και από κελιά. Μετά προχωρήστε προς τον επόμενο κάμπο και θα διακρίνετε το λιμάνι του Μέριχα.

Ένας χωματόδρομος ξεκινά μετά από 15 μ. και κατευθύνεται προς την πόλη, μετά από μία σύντομη δεξιά – αριστερή στροφή σε ομαλό έδαφος κάτω απ' τον Άγιο Γεώργιο και καταλήγει στην παραλία του Μέριχα, στο γεφυράκι.

after negotiating a small outcrop and above stone sheds. Then into the next valley and the port town of Merichas comes into view.

The farm track down to Merichas starts after 15 m and runs easily into town via a brief right-left kink on the flat ground below the Aghios Georgios church.

Η Παναγία Φλαμπουριανή / *The church of Panaghia Flambouriani*

Η Παναγία Φλαμπουριανή και η πανέμορφη αμμουδιά δίπλα της

The church of Panaghia Flambouriani and one of two sandy beaches that flank it

ΕΥΧΑΡΙΣΤΙΕΣ

Αυτό το βιβλίο δεν θα ήταν δυνατόν να γραφτεί χωρίς τη βοήθεια που προσέφερε η Κατερίνα Φίλιππα, Τοπογράφος Μηχανικός, με τις γνώσεις και την εμπειρία που απέκτησε στα πλαίσια της μελέτης που εκπόνησε για τον Δήμο Κύθνου με τίτλο «Χαρτογράφηση Περιηγητικών Διαδρομών Ν. Κύθνου», μελέτη η οποία καλύφθηκε οικονομικά από τον Δήμο Κύθνου. Με την σύμφωνη γνώμη του Δήμου Κύθνου, παραχωρήθηκαν τεχνικά στοιχεία της μελέτης, για την συγγραφή του οδηγού. Μερικές πληροφορίες προέρχονται από τουριστικά έντυπα που έχει εκδώσει ο Δήμος Κύθνου. Πολύτιμες πληροφορίες παρείχε και η Άρτεμις Καμαρινέα, Ζωγράφος – Αγιογράφος, που ζει και εργάζεται στο νησί, η οποία συνέβαλε και στην μετάφραση των κειμένων. Οι συγγραφείς ευχαριστούν θερμά τον καθηγητή του Πανεπιστημίου Θεσσαλίας κ. Αλέξανδρο Μαζαράκη για τις πληροφορίες που τους παρείχε σχετικά με τον αρχαιολογικό χώρο. Οι περισσότερες φωτογραφίες είναι Κατερίνας Φίλιππα, ενώ κάποιες φωτογραφίες έχει συνεισφέρει ο Στέφανος Ψημένος (σελ. 16, 48-49, 50, 52-53, 54, 56-57, 58-59, 60-61, 62-63, 64-65, 72-73, 75, 76-77, 79, 80, 83, 84, 86-87, 88-89, 91, 92-93, 94-95). Οι χάρτες είναι από τις εκδόσεις TERRAIN, που ανέλαβαν και την έκδοση αυτού του οδηγού. Η εκτύπωση έγινε στο τυπογραφείο Non Stop Printing ΕΠΕ.

ACKNOWLEDGEMENTS

This hiking guidebook of Kythnos would have been impossible without the efforts of Katerina Filippa and funding from the Municipality of Kythnos and the Prefecture of the Islands of South Aegean. Parts of the text derive from municipal guide books. The authors would like to thank Professor Alexander Mazarakis from the University of Thessaly for his archaeological advice. The photos were provided by Katerina Filippa. Stephanos Psimenos from TERRAIN Editions contributed some photographs (pages 16, 48-49, 50, 52-53, 54, 56-57, 58-59, 60-61, 62-63, 64-65, 72-73, 75, 76-77, 79, 80, 83, 84, 86-87, 88-89, 91, 92-93, 94-95). The maps are from TERRAIN Editions, which also did the production of the guide. The book was printed in Greece by NonStop Publishing Ltd.

ΣΧΕΤΙΚΑ ΜΕ ΤΟΥΣ ΧΟΡΗΓΟΥΣ ΜΑΣ:

Το ξενοδοχείο «**Γαλατάς**» δημιουργείται μέσω ανακαίνισης δύο παλαιών επαύλεων στη συνοικία του Γαλατά της Δρυοπίδας. Σκοπός είναι να δημιουργηθεί ένα ξενοδοχείο υψηλών προδιαγραφών και απαιτήσεων, με μπαρ, εστιατόριο και να προσφέρει ποιοτική διαμονή. Το ξενοδοχείο των 10 δωματίων, θα διοργανώνει πολιτιστικά δρώμενα και εκδηλώσεις στο χώρο του και είναι προγραμματισμένο να ξεκινήσει την λειτουργία του, την άνοιξη του 2016.

Η **Terrain** είναι μια ελληνική χαρτογραφική εταιρία εξειδικευμένη σε πεζοπορικούς χάρτες και ταξιδιωτικούς οδηγούς, καθώς και σηματοδοτήσεις μονοπατιών.

ABOUT OUR SPONSORS:

Hotel Galatas is being constructed in Dryopida via the renovation of two old mansions in the Galatas part of the village. The aim is to create an up-market hotel with bar, grill restaurant, and quality accommodation. The 10-room hotel will hold cultural events in its premises and is scheduled to open in the spring of 2016.

Terrain Editions (www.terrainmaps.gr) is an Athens-based cartographic company specializing in hiking maps and guides.

ΚΑΡΝΕΑΔΟΥ 4, 106 75 ΑΘΗΝΑ
4 KARNEADOU str., 106 75 ATHENS, GREECE
T: +30 210 6095759, F: +30 210 6095859
info@terrainmaps.gr
www. terrainmaps.gr

Παρακαλούμε συμπληρώστε την κάτωθι διάτρητη φόρμα με τα σχόλια και τις προτάσεις σας.

Τι πιστεύετε για την επιλογή των διαδρομών;

Ήταν επαρκείς οι περιγραφές των διαδρομών;

Η αξιολόγηση του βαθμού δυσκολίας του εδάφους ήταν σωστή κατά τη γνώμη σας;

Υπήρξαν εμπόδια, φράχτες, τοίχοι, ζώα κλπ. που ανέκοψαν την πορεία σας;

Τι πιστεύετε για τη σήμανση; Ήταν επαρκής;

Πιστεύετε ότι υπάρχουν και άλλες διαδρομές που θα έπρεπε να συμπεριληφθούν στον παρόντα οδηγό;

Παρακαλούμε συμπληρώστε τα σχόλιά σας παρακάτω...

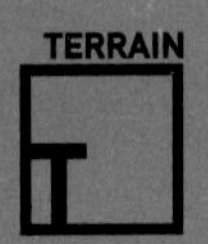

ΚΑΡΝΕΑΔΟΥ 4, 106 75 ΑΘΗΝΑ
4 KARNEADOU str., 106 75 ATHENS, GREECE
T: +30 210 6095759, F: +30 210 6095859
info@terrainmaps.gr
www. terrainmaps.gr

Please fill in the tear out form below with your comments and suggestions

What do you think of the choice of routes?

___

___

Were the descriptions of the routes adequate?

___

___

How did you find the terrain; was the difficulty measure correct?

___

___

Did obstacles, fences, walls, animals and so on block your path at any point?

___

___

What did you think of the signposting? Was it sufficient?

___

___

Are there are other routes you believe could be added to the guide?

___

___

Please make any other comments in the space below...

___

___

___